FLASHBACK

The Flashback series is sponsored by the *European Ethnological Research Centre*, c/o the National Museums of Scotland, Chambers Street, Edinburgh EH1 1JF.

General Editor: Alexander Fenton
Other titles in the Flashback series include:

'Hard Work, Ye Ken': Midlothian Women Farmworkers
Ian MacDougall

'Look After the Bairns': A Childhood in East Lothian
Patrick McVeigh

'Oh, Ye Had Tae Be Careful': Personal Recollections by Roslin Gunpowder Mill and Bomb Factory Workers
Ian MacDougall

Your Father and I: A Family's Story
Colin MacLean

Forthcoming:

Monkey, Bears and Gutta Percha: Memories of Manse, Hospital and War
Colin MacLean

Scottish Midwives: Twentieth-Century Voices
Lindsay Reid

A Shepherd Remembers
Andrew Purves

BONDAGERS

Personal recollections by eight Scots women farm workers

Ian MacDougall

TUCKWELL PRESS
in association with
The European Ethnological Research Centre
and
The Scottish Working People's History Trust

First published in Great Britain in 2000 by
Tuckwell Press
The Mill House
Phantassie
East Linton
East Lothian EH40 3DG
Scotland

ISBN 1 86232 122 1

British Library Cataloguing in Publication Data
A catalogue record for this book is available
on request from the British Library

Typeset by Hewer Text Ltd, Edinburgh
Printed and bound by The Cromwell Press, Trowbridge, Wiltshire

Contents

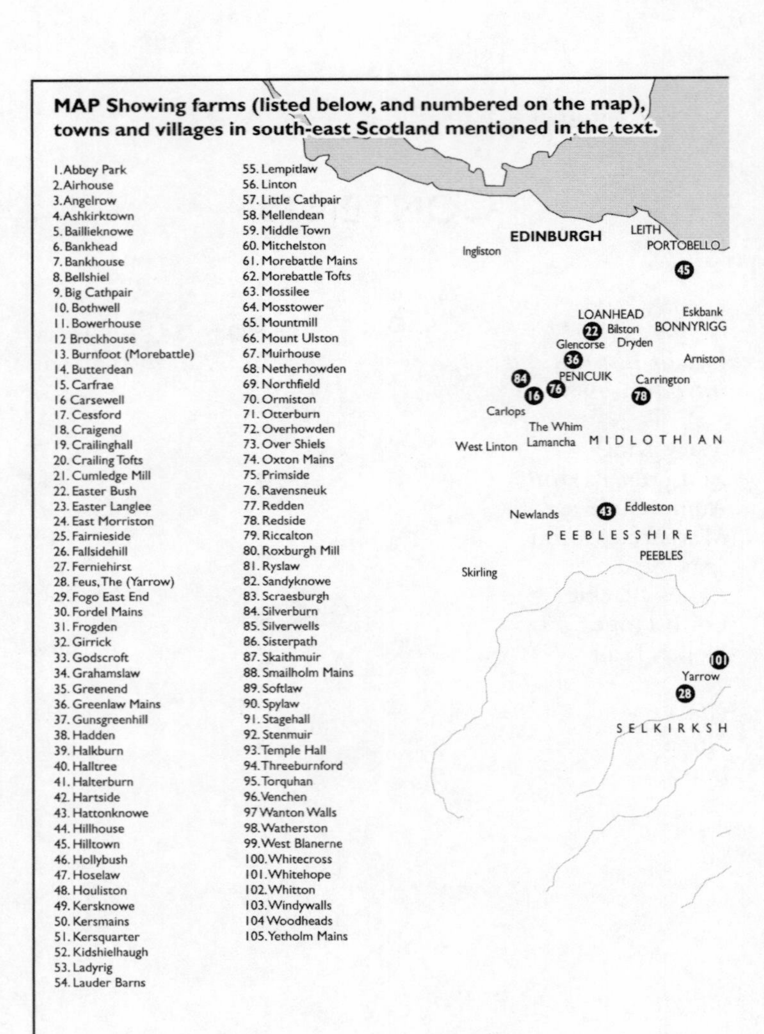
MAP Showing farms (listed below, and numbered on the map), towns and villages in south-east Scotland mentioned in the text.
1. Abbey Park
2. Airhouse
3. Angelrow
4. Ashkirktown
5. Baillieknowe
6. Bankhead
7. Bankhouse
8. Bellshiel
9. Big Cathpair
10. Bothwell
11. Bowerhouse
12 Brockhouse
13. Burnfoot (Morebattle)
14. Butterdean
15. Carfrae
16 Carsewell
17. Cessford
18. Craigend
19. Crailinghall
20. Crailing Tofts
21. Cumledge Mill
22. Easter Bush
23. Easter Langlee
24. East Morriston
25. Fairnieside
26. Fallsidehill
27. Ferniehirst
28. Feus, The (Yarrow)
29. Fogo East End
30. Fordel Mains
31. Frogden
32. Girrick
33. Godscroft
34. Grahamslaw
35. Greenend
36. Greenlaw Mains
37. Gunsgreenhill
38. Hadden
39. Halkburn
40. Halltree
41. Halterburn
42. Hartside
43. Hattonknowe
44. Hillhouse
45. Hilltown
46. Hollybush
47. Hoselaw
48. Houliston
49. Kersknowe
50. Kersmains
51. Kersquarter
52. Kidshielhaugh
53. Ladyrig
54. Lauder Barns
55. Lempitlaw
56. Linton
57. Little Cathpair
58. Mellendean
59. Middle Town
60. Mitchelston
61. Morebattle Mains
62. Morebattle Tofts
63. Mossilee
64. Mosstower
65. Mountmill
66. Mount Ulston
67. Muirhouse
68. Netherhowden
69. Northfield
70. Ormiston
71. Otterburn
72. Overhowden
73. Over Shiels
74. Oxton Mains
75. Primside
76. Ravensneuk
77. Redden
78. Redside
79. Riccalton
80. Roxburgh Mill
81. Ryslaw
82. Sandyknowe
83. Scraesburgh
84. Silverburn
85. Silverwells
86. Sisterpath
87. Skaithmuir
88. Smailholm Mains
89. Softlaw
90. Spylaw
91. Stagehall
92. Stenmuir
93. Temple Hall
94. Threeburnford
95. Torquhan
96. Venchen
97 Wanton Walls
98. Watherston
99. West Blanerne
100. Whitecross
101. Whitehope
102. Whitton
103. Windywalls
104 Woodheads
105. Yetholm Mains
EDINBURGH
LEITH
PORTOBELLO
Ingliston
45
LOANHEAD
Eskbank
22
Bilston
BONNYRIGG
Glencorse
Dryden
36
Arniston
84
PENICUIK
Carrington
16
76
78
Carlops
The Whim
West Linton
Lamancha
MIDLOTHIAN
Newlands
43
Eddleston
PEEBLESSHIRE
PEEBLES
Skirling
101
Yarrow
28
SELKIRKSH

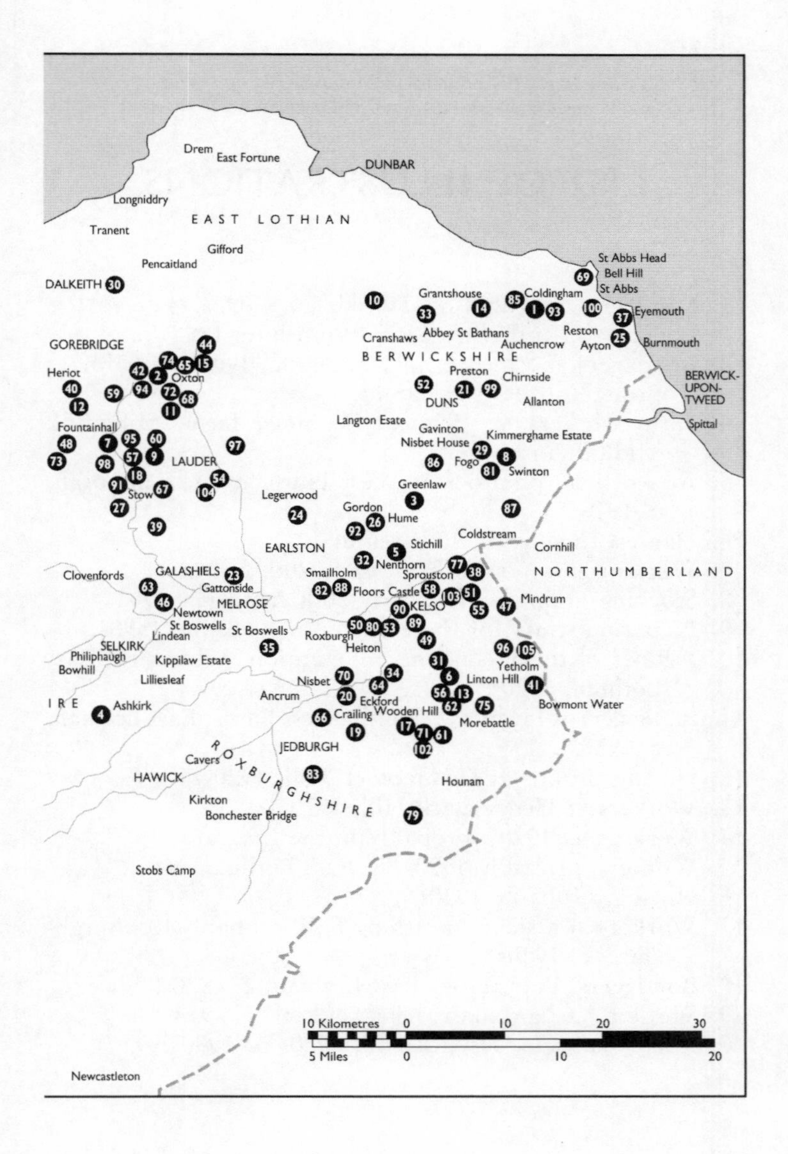
Drem
East Fortune
DUNBAR
Longniddry
EAST LOTHIAN
Tranent
Gifford
Pencaitland
DALKEITH
GOREBRIDGE
Heriot
Oxton
Fountainhall
LAUDER
Stow
Grantshouse
Cranshaws
Abbey St Bathans
BERWICKSHIRE
Coldingham
St Abbs Head
Bell Hill
St Abbs
Eyemouth
Reston
Ayton
Burnmouth
Auchencrow
Preston
Chirnside
DUNS
Allanton
BERWICK-UPON-TWEED
Spittal
Langton Esate
Gavinton
Nisbet House
Kimmerghame Estate
Fogo
Swinton
Greenlaw
Legerwood
Gordon
Hume
Coldstream
Cornhill
EARLSTON
Stichill
Nenthorn
NORTHUMBERLAND
Smailholm
Sprouston
Floors Castle
KELSO
Mindrum
Clovenfords
GALASHIELS
Gattonside
MELROSE
Newtown
St Boswells
Lindean
St Boswells
Roxburgh
Heiton
SELKIRK
Philiphaugh
Bowhill
Kippilaw Estate
Lilliesleaf
Yetholm
Linton Hill
Nisbet
Ancrum
Eckford
Crailing
Wooden Hill
Bowmont Water
IRE
Ashkirk
Morebattle
JEDBURGH
Cavers
ROXBURGHSHIRE
HAWICK
Hounam
Kirkton
Bonchester Bridge
Stobs Camp
Newcastleton
10 Kilometres 0 10 20 30
5 Miles 0 10 20

List of Illustrations

INTRODUCTION

These personal recollections of their working lives by eight Scots women farm workers were recorded in interviews in 1997–8 by the Scottish Working People's History Trust. At the time of their interviews the respective ages of the eight women ranged from 82 to 93: three were in their 90s, the other five in their 80s. All of them retained clear recollections of their working years on farms in the south-east of Scotland, as well as of other aspects of their lives, including their housing, educational and recreational experiences. It is these recollections, in edited form but expressed in their own spoken words, that are presented below.

All but one of these eight veteran women farm workers were bondagers. 'Bondager' was the term applied for well over a century until the eve of the Second World War to regularly (not merely seasonally) employed full-time women farm outworkers or field workers in the south-east of Scotland. These women, or girls as many of them were, were bonded or hired (the younger ones usually though not invariably along with their father or brothers) by farmers who employed them in almost the whole range of tasks in and around the farm.

The bondagers' term of engagement, like that of the male farm workers, was usually for a year at a time, beginning at the May term. Toward the end of each contracted or bonded year employment might by mutual agreement be renewed for a further year. If, however, the engagement was ended by either the farmer or the bondager, then the bondager, like male farm workers seeking employment, might have to go with her father or brothers to one or other of the hiring fairs held in nearby agricultural towns and there hope for another engagement. Sometimes an offer of employment might be made or received other than at a hiring fair. The variety of experience encountered in finding a job on the land is described below by these veteran women farm workers. 'Oo never wir at ony hiring,' recalls Margaret Moffat, who became a bondager at the age of seventeen and remained one for six years until she married at the age of 23 in 1929–30. 'We jist seemed tae have gotten the job without ever gaun near the hirins.' Several others of the eight, including Annie Guthrie and Jean Leid, both of whom became bondagers immediately on leaving school at the age of fourteen in the 1920s, recall their experiences at the hiring fairs.

These recollections are first-hand accounts of work and collectively they cover the half-century or so between the end of the Great War in 1914–18, when Mary King, the first of the eight women to begin work on the land, began as a bondager at the age of thirteen on a farm in Berwickshire, and the 1960s, by which time the term 'bondager', along with hiring fairs and yearly engagements, had long passed out of use.

Women had for many years played an important part in lowland Scots farming. Of 165,096 farm workers listed in the *Census of Scotland* in 1871, 42,796 – 26 per cent of the total – were women. Even that high number was, however, an underestimate of the number of women then engaged there in agriculture: it included neither the large number of seasonal workers, many of them women, employed in sowing and harvesting the grain, vegetable and fruit crops, nor the normally unpaid wives and daughters of the smaller farmers and crofters in the south-west and north-east of Scotland. The distinctively extensive employment of women in Scottish agriculture in the nineteenth century was remarked upon by contemporary commentators, one of whom wrote in 1844 that 'field workers consist mainly of young women in Scotland but mainly of men and boys in England'. An explanation advanced in 1867 for that distinctive characteristic of Scots farm labour was that 'Farmers employ women because their wages are about half what is expected by men'. In those decades of the twentieth century with which the recollections below are concerned, the number of women regularly employed in agriculture in the whole of Scotland was 21,772 in 1921, decreasing fairly steadily as a result of mechanisation and other factors to 13,295 thirty years later; while the number of casually employed women workers in the same period declined from 11,483 to 5,874.[1]

During the first three quarters or so of the nineteenth century in south-east Scotland married ploughmen, known as hinds, whose own wives were unable or whose daughters were not old enough to work in the fields, had hired bondagers from outside their own families in order to meet the farmers' demands in the terms of their engagement that hinds must provide women workers. Thus two sorts or categories of bondager had existed until the 1860s or '70s: those drawn from within the hind's own family, and those hired by him from outside it but who were lodged in the hind's tied cottage. By the last quarter of the nineteenth century, however, 'the bondage system had evolved into a purely familial hiring system . . . [in which] though the women workers were now always members of the hind's own family, they continued to be referred to as bondagers as late as the 1930s'.[2]

The recollections of these eight veteran women farm workers are, above all, of their experiences at work on farms in the Borders or, in the case of Edith Hope and Nellie Traill, in Midlothian. Their recollections inevitably vary in fullness and detail. Agnes Blackie, for example, after several years helping her mother at home with younger members of her family, became a bondager at the age of eighteen in order to fill the place of her sister who was off work through illness – but she remained a bondager for only three or four years. Moreover, at the time of her interview by the Scottish Working People's History Trust Miss Blackie was recovering from serious illness, and while generously agreeing to recall her working years for this project, she was unable to grant a more extended interview. On the other hand, Annie Guthrie and Jean Leid became bondagers directly they left school at the age of fourteen in the 1920s and continued to work on the land until the 1960s – in Jean Leid's case full-time until she retired upon her marriage at the age of 52 in 1966.

All but one of the eight were, at one time or another, bondagers in the period before that term fell out of use with the passage in 1937 of the Agricultural Wages (Regulations) (Scotland) Act, which led to the disappearance both of the long (yearly) engagements of farm workers and of the hiring fairs. The exception among the eight was Nellie Traill. She was not a bondager and never regarded herself as one. Born and brought up on farms in Lanarkshire, the daughter of a carter, she moved with her family at the age of eleven in 1927 to live on a farm in Midlothian at Penicuik, ten miles south of Edinburgh. More or less at once she began to work on the farm before and after school hours as a part-time dairy maid and as a seller during her school lunch hour in Penicuik of the farm's eggs. She recalls that on these and some other tasks in the farmhouse itself she worked about 29 hours a week in return for payment of five shillings (25 pence) and the occasional gift by the farmer's wife of a coat or frock. On leaving school at age fourteen, Nellie Traill became a full-time dairy maid on the same farm and was also engaged in domestic work in the farmhouse. She then worked, she recalls, seven days a week, about eighty hours a week, for a wage of six shillings (30 pence) a week, plus all her meals. But unlike the other seven women farm workers who speak in the pages below, she was not a bondager because she did not work outside in the fields as they did, nor, it appears, was she employed as part of her father's terms of engagement. Her recollections nonetheless provide some informative and stimulating comparisons with those of the other seven women.

These recollections cover a wide range of experiences of farm work. They include the subjects of wages (including payments in kind such as potatoes, flour or meal, and milk), hours of work, holidays (or the lack of them), the actual work the women did on the farms (which amounted to almost every kind of task going, except ploughing with horses), the discipline or organisation that governed the daily toil, relations among the workers and between them and the farmers, hiring fairs, casual workers, the pride farm workers took in their work, the annual coming of seasonal Irish workers, harvest privileges given men farm workers but denied to the bondagers, the bondagers' distinctive dress, the Scottish Farm Servants' Union (which none of the eight ever joined), and many other aspects of employment on the land.

But the recollections of the eight women also touch on wider social and personal questions, such as housing conditions, family life, death, illegitimacy, churchgoing, marriage, flittings, diet, pig-keeping, gardens, clothing, recreational activities, schooling, reading, personal ambitions when young, tramps, and the impact of the 1914–18 and 1939–45 Wars. The recollections of several of the eight also cover their employment in domestic service, hotel work, a paper mill, or as a home help.

Their memories of their childhood, of their grandparents and parents (the mothers of Annie Guthrie, Jean Leid and Edith Hope had also been bondagers), extend some of these personal recollections back beyond the 1914–18 War. Most of the eight have some memories of the Great War itself. Agnes Blackie speaks of the terrible blow to her family when her eldest brother was killed by a sniper on the Western Front. And Annie Guthrie recounts the onslaught of asthma upon her father's health while he was on his way to fight at Gallipoli, an illness the recurrence of which for the rest of his working life forced upon him and his family the consequences of frequent, sometimes annual, changes of job, tied house, and locality.

This is oral history, history based upon spoken recollection rather than upon documentary sources. To the question how reliable these recollections are the obvious answer is that they are personal memories, not objective historical analyses based on the study of documentary sources. These eight women are not historians but were, for varying numbers of years, farm workers. All of them were the daughters of land workers and all but one of them grew up on farms before they themselves began to work on them. They speak directly, in their own words, often from deeply etched memories of events or people. Their memories appear generally clear, sometimes impressively so, but where they cannot remember, or indeed never did know, they usually say so frankly: 'I've nae idea what ma mother did before she wis married,' Margaret Moffat, for example, admits. Moroever, wherever possible, their recollections have been checked against available documentary sources, such as contemporary press reports or histories or biographies or other records of period, place, or institution. That checking is one of the most important tasks for the interviewer to undertake. Each veteran's account or recollection can, of course, also be compared with that of the other seven. It goes without saying that oral history is unlikely ever to be wholly accurate, any more than history based on documentary sources. After all, documentary sources such as minutes, reports, correspondence, diaries, are written by fallible men and women who are or may be subject to bias or other shortcomings in composing their documents. The justification for oral history is that since most people – and certainly most so-called ordinary working people – rarely, if ever, write down any account of their experiences, the next best method of recalling and making available those experiences is by the spoken word. By means of recorded interviews masses of experience, not least experiences of work, that would otherwise be forever lost can be harvested and preserved for present and future generations.

The chief value of the personal recollections below is perhaps that they preserve and make available part at least of the experiences of what is now a dwindling number of surviving Scots women farm workers, especially those who were bondagers. Despite the attempt by the Scottish Working People's History Trust to find surviving bondagers by means of publicity in the press, correspondence with community councils, personal contacts, and other channels, only eleven veteran women farm workers of south-east Scotland were found – and three of them declined to be interviewed.

Throughout the editing of these recollections an attempt has been made to preserve the actual speech of the eight veterans interviewed. As some readers may be unfamiliar with some of the words used or their pronunciation, a glossary has been provided. So has a map showing farms and other places mentioned in the recollections.

This is the second volume to be published of oral recollections by working men and women recorded in interviews by the Scottish Working People's History Trust. The first volume presented the edited recollections of veteran workers formerly employed at the gunpowder mill and bomb factory at Roslin, Midlothian, which after a century and a half of production was closed down in 1954. One of the aims and objectives of the Trust is to gather and publish in edited form the spoken recollections of working men and women in the widest possible range of occupations throughout Scotland. The recollections recorded are of their working lives but also their housing, educational, recreational, and other experiences. The task is huge – and urgent. The tapes and a copy of the verbatim transcript of each interview will in due course be deposited and made available by the Trust in the School of Scottish Studies at Edinburgh University, with copies also deposited and made available in appropriate local public repositories in the areas chiefly concerned in the recollections.

The Trust intends that the next volume of oral recollections to be published in this series will be those of Leith dockers. That will be followed by the recollections of Penicuik paper mill workers. Working men and women in other occupations in Scotland who have also already been, or are in process of being, interviewed and recorded by the Trust and whose recollections will form other forthcoming volumes, include: miners, Highlands and Islands crofters, Peeblesshire textile mill workers, journalists, Leith seamen, railway workers, public librarians, Co-operative Society workers, French Onion Johnnies, and Borders men farm workers. The number of occupational groups of working men and women in Scotland with experiences worth recording is almost limitless. The Trust, despite its present inadequate resources, is determined to do everything it can to ensure those experiences are recorded and published.

For their help in achieving the present volume of recollections, thanks are due above all to the eight veteran women farm workers and to members of their families. It is sad that that remarkable bondager Mary King died in 1998 at the age of 92, before she could see her recollections in print. Among librarians, archivists and others who helped by providing information or in other ways, thanks are due to Rosamond Brown, Principal Librarian, Adult Services, and her colleagues at Borders Library Headquarters, Selkirk; Mrs Mary Hunter, Registrar, Duns; Rev. William Taylor, Hawick; Hugh K. Mackay, Hawick; Liz Taylor, Newstead; Mrs Anne Gordon, St Boswells; Donald S. Maclaren, Secretary, Border Union Agricultural Society, Kelso; Gerry Skelton, District Secretary, Transport & General Workers' Union, Galashiels; Mrs Janet M. Wilson, Session Clerk, St Abbs Church; the editor of the *Southern Reporter*; secretaries of Borders community councils; Iain Maciver, Keeper of Manuscripts, and his colleagues at the National Library of Scotland; Alan Reid, Chief Librarian, Midlothian Council, and his colleagues Neil Macvicar, and Marion Richardson and Ruth Calvert in Local Studies; Fiona Myles and Ian Nelson and their colleagues in the Scottish, Edinburgh, and Reference Departments of Edinburgh Public Library; and not least to my wife Sandra, without whose tolerance and practical help, including that of chauffeuse, the project would have been much more difficult to complete. The support and encouragement of Dr John McKay, Chairman, and the members of the Scottish Working People's History Trust (including that distinguished Borderer, Dr Tom Johnston, who read the completed manuscript and made several very helpful suggestions) made the work all the more a privilege and a pleasure to undertake. Whatever sins of commission or omission that remain in it are to be blamed on me alone.

Ian MacDougall,
Secretary and Research Worker,
Scottish Working People's History Trust.

Mary King

Well, ah can remember the first day ah went out ah felt a bloomin' fool because ah wis dressed wi' this big straw hat and the drugget skirt and the brat, because ah wis supposed tae be a bondager. There wis an older woman, ee see, and ah wis dressed the same as her. And ah remember her takin' me tae the granary, up the stair, and writin' ma name and ma age and ma weight. And ah wis 7 stone 12. And ah wis only thirteen years auld. And that's what ah was.

Ah wis born on 12th December 1905 and ah'm ninety-one now. Ah wis born at Bellshiel. It wis a farm place near Swinton – Bellshiel, Swinton, Duns, ah would say. Ma mother must have been there at that time. Bellshiel wis jist aboot a mile frae Swinton.

Ma father wis a farm ploughman. Ah think he wis a ploughman a' his life. Ah've never heard o' him being onything else. He wis a Berwickshire man. Well, he wis born at Auchencrow near Reston. It's a big farm and ah've heard him say that he wis born at Auchencrow and he went tae Auchencrow Academy! He tried tae tell us that when oo wis kids! It wid be the village school likely he went tae. Now ah think ma father was born in 1882. You know, ah used tae have their birth certificates. Ma father's name wis Andrew Kerr.

Ma mother, Isabella Paxton, wis in service, domestic service. But she wis left, eh, thirteen year auld when her mother died and there were six o' them left. Her mother died very young. I've heard ma mother speak aboot that. It wis what they ca'ed – it wis influenza. And she had been lyin' in bed, and then they got her dead in the mornin' in the bed. She wis very young – thirty-six, ah think, or something aboot like that. Ma mother wis the oldest o' the six. Of course, she had tae keep the hoose at that time. And ma mother wis only thirteen year auld. And of course an aunt took somebody, and another aunt took another yin, till they got them a' settled. For ma grandfather Paxton didnae marry again. Then ma mother went to service. Oh, I've nae idea what age she'd be when she went to service. She wid be in her teens, aye, she wid be in her teens.

When she wis in service she met ma father. Ah think she met him aboot Burnmooth. He wis on the farm and she wis in service at a farm place near hand, as far as ah can make oot. When ah wis born ma faither wis at Fairnieside near Ayton and ma mother wis at Bellshiel stoppin' wi' an aunt. Ma mother and faither werenae married when ah wis born. Ah think ah wis ten weeks old when they were married, something like that. That grandfither Paxton, ah'm tellin' ye, he wouldnae allow her tae come home. So that's what she went tae an aunt at Bellshiel for.

In these days when ah wis born the folk, the couples, usually got married. Ah think it wis fairly common for children tae be born oot o' wedlock before marriage, although it wis kept hidden. People were very concerned aboot bein' respectable. And ma grandfather Paxton wis a great church man. He went tae the kirk aboot every Sunday o' his life when he wis livin' – no' that that made much difference.

And ma mother and father were hired tae go tae Gunsgreenhill at the May term efter ah wis born. You'll have seen yon big hoose on the harbour at Eyemouth, Gunsgreen House? Ah think it wis something tae do wi' – what wis it? What did they dae these days? Ah cannae mind what it would be. But it had something tae dae wi', ye know, stealing and that sort o' thing. If ye kent the history o' Gunsgreen House ee'd ken what it wis aboot.[3] And they hired tae go tae Gunsgreenhill, a farm place. And they were there two or three years and ma sisters a' came along. Ah had four sisters and ah wis the oldest. Then ma three brothers came. There were eight o' a family o' us.

Mary King

Ah can mind o' ma faither's faither, grandfaither Kerr. He wis awfy like ma son John – little, ye know. And a great walker, tae, he was. And he had a big family and his wife died when she wis young and left a big family. And he lived frae daughter tae daughter, ye ken. When we lived at Coldingham as bairns we used tae see the wee man comin' doon by Edgebrae and knew it wis oor grandfaither. And ah often went tae meet him. We liked him. We didnae like the other yin, grandfaither Paxton, sae well. He wis a grumphy old so-and-so!

Grandfaither George Kerr wis a Berwickshire man. He worked on the ferms an' a', as far as ah know. But he'd retired by the time ah wis growin' up. Ah think he was aboot 80 when he died. Ah dinnae think ah wis started tae work then. Ah'd maybe be aboot thirteen or fourteen. He died aboot 1917 or '18. He wis buried in Coldingham. And so wis ma granny Kerr and a lot o' relations is buried at Coldingham. Well, grandfaither Kerr he's buried in that churchyard, the Priory. But ah don't know where, because twae or three years ago ma daughter and I went intae a caravan at Coldingham for twae or three days and ah says, 'Ah must go tae the Priory and see if ah can find ma grandfaither's grave.' But there's no place tae mark it. There were no stone or nothing. And ah never saw onybody tae ask. Ah could have maybe seen a registrar, but ah didnae.

Well, ah didnae ken much aboot ma mother's parents. Ah've heard ma mother tell stories aboot them. As far as ah can make oot ma grandfather Alexander Paxton wis married at Preston, near Duns, near Cumledge Mill. And ah think there wis a sister. The two brides were married on the same night, because ah've often heard ma mother sayin' their father gave them a cow each for a weddin' present! Of course, maist o' ferm folk kept their own cows in these days. But ah didnae ken ma granny Paxton. She died very young. Ah don't know what she'd done for a livin' before she married. But ma grandfather Paxton must have wanted ma parents tae get married and live decently, because later on he started comin' tae the hoose. Ma mother and him had kind o' drifted apart, ye see. But efter she got married he visited them and he did a' his life. And me an' a', he yaised tae come and see me. Grandfather Paxton died no' that many years ago because there wis a wee bit in the *Berwickshire News* aboot him, because he wis ninety, and he wis still cyclin' and workin' on farms. He wis aye a farm worker. So ma family on both sides were a' farm workers, a' off the farms.

Well, ah can remember Gunsgreenhill but ah wisnae very old when ma parents left there. Ah don't remember a thing aboot the house at Gunsgreenhill. It wis jist a room and kitchen like an ordinary ploughman's hoose. And, ye know, in these days ye'd nae electric light. Ye'd nae water in the hoose. Ye'd usually have tae carry your water.

And then we went tae a place ca'ed Kimmerghame. It wis near Duns, it wis near Swinton. Well, ah can remember bein' at Kimmerghame. And what ah can mind o' there, ma sister Margaret and I were to get oor photiegraphs taken, and ah wouldnae stand. Ah kept runnin' back intae the hoose again. Ah must ha' been too shy! Ah dinnae mind anythin' aboot the hoose at Kimmerghame. Ah think ma parents were only there a year or a couple o' years, something like that.

Oh, it wis common for farm workers tae move! Ma grandfaither Paxton moved every year, nearly every year o' his life! And there wis one place at Grantshouse ca'ed Butterdean and he wis there seven times. Ah've often heard ma mother tellin' that story aboot ma grandfaither. He wis seven times back tae Butterdean. He would shift for a shillin'. Well, ye see, a shillin' wis a lot o' money in these days. Well, he would shift for a shillin'. He didnae have the big family then, because they were most o' them away: there wis two o' them went tae an aunt in Reston, and there wis one – the youngest yin – she went tae a couple that only had one son, away up at Bothwell, in Cranshaws way, and she landed later in Canada and had an awful big family, aboot ten. But it would depend on what the farmer offered grandfaither Paxton. And if he wis gaun tae get a shillin' mair he'd shift for that. And he did, he did, he shifted every year.

And a story ah've often heard ma mother tell, when they

lived at Kidshielhaugh. It's away up the Cranshaws way, awa' up that way, away up in the hills. And they had their cow. And they had tae travel the cow by foot, ye had tae travel it the night afore ye flitted. And ma granny Paxton, her that died young, she travelled the cow the night afore the flittin', frae Kidshielhaugh tae Sisterpath. That wis near Swinton. It wis a long road tae travel a cow. And it wis that year she died. Whether that had onythin' tae dae wi' it, ah don't know. But she left a boy in the cradle. Ah think he wid jist be months old. Ma mother had fower sisters and a brother, the brother wis the youngest. It must have been awfy hard for them.

Well, ah dinnae mind naething aboot Kimmerghame. Where did we go then? – Northfield. Now d'ye ken where Northfield is? Do you know St Abbs at all? Oh, well, there's a big farm – a very big farm place, eight houses in a row, at Northfield, jist before ee go intae St Abbs. And we were there seven years. And a lot o' ma sisters were born there.

Oh, there wis Margaret next tae me, and there wis Isabella, and Georgina and Alexandrina. Then later on ma three brothers came: there wis John, Jim, and Robin. There were eight o' a family o' us, five girls then three boys. There were fifteen month between me and Margaret and, oh, ah think, thirteen months between her and Isabella. It wis jist like one o' us about every year or eighteen months till Alexandrina – she wis five when the brothers came along. Well, there wis aboot two or three years, something like that, between the boys. Ma auldest brother John wis born in 1918. So between me and ma youngest brother Robin there wis nineteen years. Ah think farm workers often had big families, they were a' big families.

So ah wis in aboot four when oo went tae Northfield. That wid be aboot 1909 or 1910. Oo wis one of a row of eight hooses. Oor hoose wis the saicond off the end. It wis, well, a very, very plain hoose. The livin' room had two beds. They usually, ferm hooses, had a' two beds, and a bedroom up the stair. And ee could put two beds in that. That wis a' ee had, upstairs and doonstairs, and a kitchen: jist the two rooms and a kitchen.

Well, ma mother and father aye had one bed in the kitchen and then the younger bairns would have the other. And then iz aulder yins went up the stair. And ah didnae like it! Ah wis nervous up the stair. It wis jist ah used tae dream aboot beasts, ye ken. Ah aye saw something. Ah think ah wis a nervous wee girl, imaginative.

There wis no running water in the hoose. There was a well. Ye've seen these iron things that ee pumped up? Well, it wis in the middle o' the row o' hooses and everybody got their water at it. For baths, well, ma mother had a tub – a' the ferm folk had tubs in these days – a wooden tub. And it wis brought in on a Saturday night and ma mother put on the big pot – that wis the big pot that she used for the washin' – and she put that on on a Saturday night fu' o' water and we a' got washed accordin' tae age, the youngest yin up. Ah wis the last! Well, ye changed the water some time likely. Oh, ah dinnae think it wis the same water for each girl. Ah think ah did get some fresh water as the oldest. That wis every Saturday night, and that carried on till ah wis workin', always in front o' the fire.

Oh, oo got oor hair washed, tae, on a Saturday night. Oo'd a' long hair. And ma fither used tae pleat oor hair, and he pleated it so tight oo couldnae turn roond! And on the Sunday the pleats wis a' ta'en oot and combed and yer ribbon in and away tae the Sunday School. Oh, it wis a lot o' work for ma mother. She wis a hard workin' woman – killed hersel' wi' work.

For cookin', well, ee jist had nice fireplaces, right enough, but they werenae meant for big families. It wisnae like a stove or anything like that. It wis an open fire. It had a jamb at each side, ken, and the fire in the middle. It wisnae a range. If oo'd had a range it wid ha' been handy, but it wisnae. It wis an open fire and she jist cooked on that. There were nae ovens. Oh, there wis no gas nor electricity.

For light ee had paraffin lamps, aye, paraffin lamps. We didnae get a paraffin lamp tae take upstairs at night. Ah think oo'd be taken up wi' a light and ma mother'd take it away doon wi' her again. Ah don't suppose oo'd hae a candle to oorsels up there, because it would be too dangerous, a candle.

And talkin' aboot the candle, jist a year or two back there wis Halley's Comet. Well, the first Halley's Comet wis in the sky at that time when ah wis a wee lassie. And ma faither said when he come in for his tea, 'Ah've seen Halley's Comet.' 'Oh, where?' 'It's in the sky. If ye go ben tae the back kitchen ye'll see it.' For it wis dark, ee see. And oo took a candle, and yin o' us lifted the screen, ye ken, and the other yin the candle. Well, did oo no' lift it baith thegither and it took fire! So oo started yellin' and ma faither came and oo got a hammerin'! So ah mind o' Halley's Comet! So it's no' long ago since it wis in the sky again. 'Oh,' ah says, 'ah must see Halley's Comet for,' ah says, 'ah got a leatherin' the last yin for burnin' the curtain!' Oh, then ah widnae be auld, ah'd jist be at the schule. Ah hadnae the sense though tae keep the screen away frae the candle. Ah wis too excited.[4]

At Northfield, oh, there were nae toilets. Ee jist had dry closets. There wis a raw o' pig styes, oo ca'ed them pig craives. There wis a row o' them – one for each house. And the toilets were often at the back o' that. Ee had tae pass the pigs tae get tae the toilet. Oh, there wis one dry toilet for each house. Oh, oo never shared wi' onybody else, no' that ah mind aboot. No, ah never mind o' that, no. Oh, it would be ma mother likely that cleaned oot the toilet. Ma faither widnae dae it! Oh, ma mother wis the worker. Ah've nae idea if the toilet wis cleaned oot once a week, ah've nae mind o' that at all. It wis a terrible job that.

Oh, ma faither had a rare garden at Northfield. He wis a great gardener. He took a great pride in his garden. He grew tatties mainly, and cabbage and leeks – onything for the pot. Oh, ma mother saw tae the flowers. The garden wis in front o' the hoose. Oh, it wis a big garden, every house had its garden.

Well, the very first hoose, nearest the farm place, wis the shepherd's hoose. And the next yin wis the byreman: he wis important because he had the cows tae look efter, and milk them tae, likely. Then the rest o' the hooses would be workers – ploughmen, very likely there'd be six ploughmen. And of course there wis a big house at the farm for the grieve. Well, we didnae ca' them grieves, we called them stewards. But they ca' them grieves in East Lothian, ah think. It wis the steward in Berwickshire. Well, the steward daist oversaw the workers and what wis tae be done and a'thing like that. He gave them their orders every mornin'. They a' assembled in the stable in the mornin'.

Now at this time o' the year, the end o' February, it's beginnin' tae get longer light now and it's light at six o'clock on the first o' March. And that wis when ee went your hours – frae six in the mornin' tae six at night. And that wis frae the first o' March tae the autumn, after the harvest wis in. Ye see, the hours wis irregular in the harvest time, because they often went shifts. Ee see, they'd the old fashioned binders and there were often three horses in them. And they had tae have shifts for tae rest the horses, 'cause it wis a big strain on the horses. And then in the autumn and winter, oh, well, they would start when it was daylight. They had tae wait on the light. If they were goin' tae be ploughin' well, ee didnae need an awfy lot o' bright light for tae start tae plough. But if ye were daein' somethin' like shawin' or onythin' like that ee'd need mair light tae see what ee were daein'.

At Northfield the workers worked on Saturdays. Ah wis away frae Northfield when the Saturday half-day come in. Oh, ma father he aye worked on Seterday efternins right up tae the First World War or efter that.[5]

At Northfield there were six ploughmen. Ma father wis always the first ploughman. And they wid come up in their orders, accordin' tae age or experience. So it wis the first ploughman first, then the second ploughman . . . When the work began ma faither would lead the wey. They wid gaun out the stable like that, in that order. Everybody accepted that that was that. Ma faither got paid a wee bit more than the other ploughmen, maybe a shillin' or twae a week. Ah cannae mind that he wis ony mair favoured than the rest than that.

Ee see, frae March they started at six and they finished at eleven and started at one o'clock again. That wis tae rest the horses. That wisnae for the ploughmen's benefit. They brought the horses back intae the stables at eleven and unharnessed and fed and watered them, and brushed them doon likely – depended on the weather. Then ma father came home for his dinner and went back to work again at one o'clock. The men assembled at the stables again and ma faither led them oot again, he wis first oot. Then they finished at five o'clock – or six. Well, it yaised tae be six right away back before the First World War, ah think. It wis six at Northfield.[6] He brushed the horses doon again and what-not, watered them and a' thing. He often did that afore he come hame for his tea.

And of course in these days the ploughmen often went up tae the stable at night tae clean their harness. That wis in their own time. They didnae get paid for that. And they didnae have tae, it wis jist as ee felt that ee had a pride in the horses and ee went and cleaned their harness at night. How long the cleanin' took, oh, it'd depend on how mony stories tae tell. They'd exchange stories and news in the stable. Some o' them had pipes. But they wouldnae be encouraged tae smoke in the stables, of course, wi' the straw and hay there. And then bein' sae near St Abbs at Northfield the ploughmen mixed wi' the fishermen and they often got stories frae thame.

There wisnae any feelin' that the shepherd wis a cut above the other workers. The shepherd had unusual hours. You know, at lambin' time he'd be oot a' night. In fact, that shepherd at Northfield – Shearer wis his name, John, ah think, ah cannae mind – dropped doon dead carryin' a lamb. But oo wis a' friendly enough. Ah dinnae mind o' onythin' else.

The byreman wis another yin. He had tae be up awfy early in the mornin' tae get the cows in for milkin'. Oh, there'd be maybe four cows at Northfield. The milk wis used for the farm workers and the farmhouse. Oh, ee didnae get the milk free, ee'd tae pay for it – a penny a pint! Ah can remember bein' sent for the milk one Seturday mornin' and ah wis tae get ma mother's and the wummin next door. And when ah wis comin' doon ah thowght tae masel', 'That wummin's got awfy little milk, she's an awfu' lot less than us.' And ah poured some in and made them equal. And then when ah went hame wi' them ma mother says, 'What happened that milk?' And ah says, 'What for?' She says, 'Ah've got an awful wee pickle the day,' she says. And the other wummin had got a lot mair. So it come oot that ah had switched. Oh, ah wid get a row for that likely.

There wis a lot of men – and a lot o' women – at Northfield 'cause it wis a very big farm. Well, the ploughmen didnae have tae provide womenfolk tae work as well. But they always engaged a wummin for every man workin'. Oh, there would be aboot fifteen or sixteen workers at Northfield, oh, aye, there would be a' that, a' the workers. And these were regular workers, no' jist seasonal.

And then they engaged a lot o' weemen frae maybe St Abbs. Ah mind o' a woman workin' frae St Abbs. She wisnae a regular worker, they aye went for her, jist in the busy times – harvest and hay-makin'. Ah can mind that wuman, because she had four sons. She wisnae married and she had a son and a daughter but the wee boy wis drowned in the harbour. He wis deliverin' papers durin' the black-oot in the First World War and he fell intae the harbour and wis drowned. And the wee lassie died wi' whoopin' cough. So that wuman got married later and she had four sons, and her name wis Wilson. Oh, before she got married her name wis Dickson – her first name, oh, Alice, ah think. And then she married a man Wilson and he was a fisherman and they had a boat ca'ed *The Lively Hope*. So they must ha' been fairly well off. And ah saw a picture o' *The Lively Hope* in the *Scotsman* yin day, oh, it's twae or three year ago now. And ah thought, 'Ah kent these boys and their mother.' So ah wrote tae the *Scotsman* and they sent iz a photiegraph o' *The Lively Hope*.

At Northfield there wis a hoose kept for a bothy for Irishmen comin'. The farms usually had Irishmen in these days for the harvest and the tatties, and there wis usually a bothy.[7] Ah've seen two or three come at a time tae Northfield. It might ha' been the same two or three that came always. Ah dinnae mind o' them. But as far as ah ken they werenae the same. Ah didnae get tae know the Irishmen at Northfield. They didnae mix in these days. There were nae mixin' socially, ah don't think so. Ah don't know why that wis, whether it wis the language or no' ah don't know. Ye know, the Irish had a funny twang. Or else oo wis kept away frae them. Ah don't know. Ma mother never said, 'Don't go near the bothy' or 'Don't go near the Irishmen.' She never said onything like that.

I dinnae mind any o' the wives at Northfield goin' in tae clean the bothy for the Irishmen. Ma mother certainly didnae do that. Ma mother did not provide food for them or cook for them. They must have done their own cookin'.

The Irishmen at Northfield were great attenders at their chapel. They must ha' been Roman Catholics. And ah dinnae ken where they went tae their chapel. Ah think they walked tae Coldingham or Eyemouth, very likely there wid be a chapel there.[8] A' the Irishmen ah knew, even in recent years, they a' went tae chapel.

The farmer at Northfield they ca'ed him Morrison. He wis a gentleman farmer, he didnae work on the land. But he yaised tae go oot and see what they were a' daein'. And he had a family and they went tae schools in Edinbury. They didnae go tae the village school. An awfy nice man he wis, and he wis there a guid number o' years. Oh, the relations between the ploughmen and Mr Morrison were, oh, quite friendly. He didnae come tae the hooses. Oh, he'd come oot and talk tae the men. And Mrs Morrison wis awfy kind an' a'. She had one girl and three boys, ah think, and she yaised tae gie ma mother clothes that the girl had outgrown, school clothes, ye know, good stuff. So ah wisnae bad. The girl wis at school in Edinburgh an' a'. Ah think they were at boardin' schools. They didnae come home each day, week-ends like. Well, the only wey ee could get frae Edinburgh wis the train. And ee'd tae take the train tae Reston. Well, there wis a bus in these days right away back. Ah never wis on it. But folk yaised tae come tae Coldingham in a bus. Oo had tae walk everywhere.

Ah'll tell ee, wi' us bein' in the second bottom hoose at Northfield, ma mother kept a' the letters and parcels and a'thing for St Abbs Head, because we were within walkin' distance o' what we ca'ed The Head, where the lighthoose wis. She kept a' the mail for the lighthoose keepers. Of course, there were nae road in these days, there were jist a path through the hills. But there were a coastguard station there an' a'. It's no' there now. Oo used tae play a lot up there. And ma mother did the washin' often for the lighthoose keepers' wives. And if any o' them wis confined, ye know, she aye went tae dae their washins. That's the wey we were up there as often. And we always carried milk tae the lighthoose keepers' wives. On a Saturday oo'd carry a big pitcher up, ma sister and me. And the lighthoose keeper's wife she always had oo in, set oo on the chair, and oo got a slice of bread spread thick wi' butter and brown sugar. We loved that. Oh, it wis a treat! So ah always remember these lighthoose keepers.

There were a lighthoose keeper's boy wis killed gaun doon the cliffs for gulls' eggs. He lost his footin' and wis killed. Ah mind o' him fine, because they had tae come sae far. They came frae the schule the same road iz us. He had two sisters and they held his hat until he went doon the cliff. He fell doon and wis killed. He wis jist aboot thirteen, ah think. His name wis Norman Budge. He's buried in the Priory. And ah can remember the funeral, because it wis a mauve coffin, pale mauve the coffin. And it had tae be carried in thae days, ye see, for the hearse couldnae get tae the lighthoose. There wis a verse on his coffin that ah always remember and it wis: *Nothing in my hand I bring, Simply to the Cross I cling*. Ah always remembered that. And we yaised tae go and see his grave, along tae Coldingham churchyard. Ah know where the grave is. It had a white marble stone and the last time ah wis there it wis awfy neglected. It wis a' cowpit on yin side and it wis dirty. Ah wondered if there wis naebody ever come tae see it. Ah doobt there's naebody livin' now that belongs him.[9]

It wis very sad. But Norman Budge wisnae the only one. There wis a lad frae Northfield – Purves, ah cannae mind his first name. He did the same thing, away doon for gulls' eggs and fell and wis killed. And it wis the night before they were flittin' tae another ferm.

St Abbs wis, oh, jist aboot a mile frae Northfield and oo were maybe a couple o' mile or somethin' frae the lighthoose. It wis further away. But ee had tae go over the hill – the Bell Hill. Ah think there wis a bell or something on top't. Nowadays that hill that we yaised tae take shorts cuts, it's closed tae the public. Ye have tae use the road now. There wis a path that oo used tae use over the hill, because ah remember ma father aye tellin' iz when ah carried the milk tae some folk that had tents there, maybe a bell tent, ye know, the old fashioned bell tent. And some couples used tae come and use a bell tent and stop for holidays, and ah wid carry milk tae them. And ma faither used tae aye say, 'Now don't you go through the Bell Hill. Keep tae the hedge, because the horses is a' runnin' in it.' And, ye see, there were often mist off the sea and ee couldnae see where ye were gaun. So it could be dangerous. Well, the horses would follow ye. And ah'd maybe get panic stricken or something like that. Ah wisnae nervous o' animals, but ah didnae like tae go in among them.

At Northfield there wis a grocer came frae Chirnside every Monday, ah mind. And he had a cart, a long sort o' thing, kind o' like a lorry. But he had a horse. And ah often wonder how he came sae far away frae Chirnside tae the like o' Northfield wi' the groceries. Oh, it would be a guid long road, ten miles or maybes mair. And he sat on the first end o' this lorry on a box. And your butter and cheese wis always ordered, and he'd gether a' thae things afore he come in, and he'd pit his hand in this box and get a big handfae o' Conversation Lozenges and fetched them in and laid them on the table. We were dared tae touch them until he went away. This wis for the children, jist a treat for the bairns. Oo didnae have tae pay for them, he wis daein' it oot o' his ain kindness. Oo did look forward tae a Monday!

Well, there would be a baker likely came tae. And there were plenty fishmen because bein' at St Abbs ye got plenty fish. Some o' them – women – carried a creel on their back. And ma faither had relations among the fisher folk and he yaised tae often get fish. Oh, it would be once a week oo ate fish at Northfield, ah think.

Ah mind soup wis the main thing, and it wis usually Scotch broth because ma faither had plenty vegetables. And plenty potatoes. There wis always turnips and that sort o' thing. Rabbit: rabbit wis on the go these days, because there were nithing wrong wi' them then. They were lovely, rabbits. Well, ah've never touched a yin since myxaematosis.[10] But, oh, ma faither would catch the rabbits likely. Oh, there wid be a rabbit catcher likely, but oo widnae touch his snares. Ma faither would likely rin efter yin or ken where yin clapped. He went oot wi' his catapult or somethin' like that at nights.

At breakfast oo had a plateful o' porridge, aye, ah can mind o' the porridge, plenty porridge and milk. Ee never got fries in the mornin'. Ee got a fry on the Sunday mornin', and half an egg! Oor main meal at midday, well, soup and tatties and meat o' some kind. Well, we had plenty pork because oo kept a pig and oo had a pig tae kill twice a year. Oo had daist two pigs at a time. Oo had oor own pigsty – a craive. There wis yin craive for each hoose. Some o' them didnae keep a pig, though. Well, oo fed the pigs mainly scraps. And ye bought in bruised oats or some sort o' meal. Ye bought meal for them. And wee potatoes and potato peelins were boiled up and mashed for tae feed them, tae. Ma mother fed the pigs. Ah wis a bit nervous o' them, ah wisnae very shair o' them.

Well, it wis usually the shepherd killed the pigs. He wis the man. And maybes the byreman wid help him. But it wis a communal sort o' thing. A'body collected for the pig-killin' and helpit them. Oh, ah did not go and watch it! Ah bade oot the road. Ah didnae like the squealin' o' the puir pig.

Well, at night, efter a killin' – the pig had hung a' day on the tripod for tae . . . ah dinnae ken what they had it hingin' a' the day for, it would maybe for tae drain the blood – but at night twae or three men would come in and they'd cut it intae the hams. There wis the back, the back wis flakes. And what did they ca' the shoulders? And a leg – different parts. And they were salted, they were a' rubbed wi' salt and laid away in a tub – it wid be in the back kitchen, under the stair, or somewhere like that – for sae long. Ah cannae mind how long – it wis maybe six weeks or that. They lay in the salt, and then they were taken oot and washed and hung up, wrapped in that muslin cloth and hung on the beams in the kitchen. And they were taken doon as ee needed them and sliced on a Sunday mornin'. Well, ah dinnae mind o' havin' ham the rest o' the week. Ah never liked ham because it wis so fat, terrible fat. That's why they aye said ah wis sae skinny – ah widnae eat the ham. Maybes that's the way ah've lived longer as the rest, for some o' them wis awfy keen o' the ham. But ah never like-ed the fat ham. And ye got your pieces fried in it – bread and dripping and fried. Ah liked that. It wisnae only on a Sunday ee got fried bread, ah've seen us gettin' fried bread on a Seturday mornin', but no' Monday tae Friday.

For oor tea, well, gey often oo got scones, for oo wis fond o' scones. And then there wid be a piece on jam. Ee didnae have a cooked tea as they dae nowadays. See, they're great for their cooked teas nowadays. But in these days ye werenae: a plain tea wi' scones, maybe gingerbread or somethin' – whatever ma mother had made. Ma mother'd buy her bread frae the baker likely. She didnae bake bread. It wisnae handy, she didnae have an oven, nae ovens at Northfield. She made scones on a griddle.

Ma mother wis a great dressmaker. And she had lots o' friends. She had sisters wis in service in Edinbury in big hooses, and they used tae often get claes. In these days it wis great skirts. You remember the trailin' skirts? And she would cut these up and make them intae dresses for oo. She didnae buy claes for oo, no' very often that ah ken o'. She made do and mended. Ah remember her buyin' a sewin' machine. She sent tae Berwick for it. Ah cannae mind the shop now. But she bought a sewin' machine and it never wis off the table! She wis always sewin'. It wis jist a hand yin the machine, no' a treadle. Oh, she wis aye makin'.

And as we grew up we became knitters. We wis great at the knittin'. Oo had tae dae a' these sort o' things. We had a great upbringin' that wey. Ma mother trained oo quite well, ah think sae. And of course ee got knittin' at the school in thae days.

Oh, dear me, ah cannae mind what sort o' games oo played

as lassies. There wis other girls at Northfield, oh, oo got on fine. We werenae allowed tae go near the sea. That wis one thing, oo never got tae go away and play at beaches or anything like that. It wis usually jist the gardens or the road in front o' the houses. Oo didnae have a bat or a ball or a peerie. Hide and seek wis a common game. Well, we werenae oot at night efter dark. We never got oot at night tae play. We werenae in the Brownies or the Guides, there wis naething like that – jist amuse yoursels as best ee could. Oo walked an awfy lot, walked an awfy lot, but, oh, ye weren't allowed near the harbour nor the sea – too dangerous. We aye had a cat, never had a dog.

Ah went tae Northfield in aboot a year before ah started at the school – St Abbs. Ah went tae St Abbs School, ah think, in 1911. And the way ah remember that, it wis the launchin' o' the lifeboat. Now it wis the first lifeboat in St Abbs, and it wis 1911.[11]

At St Abbs School, oh, there wis two rooms but ah cannae mind o' the numbers o' pupils. There were two teachers of course. There wis women teachers in one room and a man in the other. Ah dinnae mind o' the amount o' pupils – the school aye seemed tae be full onywey. It wis quite a big class ah wis in, oh, there wis a lot o' children these days on the farm. At Northfield a lot o' them had big families, some o' them seven or eight. There could ha' been as many as twenty or thirty children from Northfield alone. So the classes at St Abbs School were quite big.

Ah can remember the headmaster – McCulloch. Oh, what a monster of a man that was. Now ah wisnae in his room until ah wis twelve. He used tae dance wi' fury, ken, go roond screamin'. And he had two girls, his own girls, in the class, one called Anne and the other wis called Daisy. And Daisy had an awfy scarred face, she'd been burned at some time or other. And ah remember if he wis shoutin' at them he'd haul them oot the seat by the hair o' the head, his own girls. He wis a terrible man, terrible. Oh, the children were terrified of him. Oh, he yaised the belt a' right. Oh, ah got the belt. Ah cannae mind what for. There would be a raw o' us and oo'd be asked something, and if ah couldnae answer ah'd get the belt or the cane, whatever it wis. He used the cane an' a'. He struck ye on the hand. Oh, it wis sore. He yaised the belt or the cane quite a lot. Ah got a book, oh, a number o' years ago. It wis written by a man in St Abbs. He wis writin' about his school days, but they were efter mine. But he remembered that man McCulloch, and he wis speakin' aboot him, how cruel he wis. And he says what a good teacher he wis. Well, he might have been. He didnae teach me onything! Ah wis terrified for him!

Oh, ah got on fine wi' the woman teachers. There wis a Miss Brockie and there wis a Miss Crystal. Ah liked fine the women.

Ah wisnae very good at the sums but ah wis great at drawin' ken, ma drawin' wis often up on the board. Or writin' – ah wis a great handwriter. Ah wis a great reader but, oh, dear me, ah cannae mind what ah read as a girl. Oo never got comics at home that ah mind o', never got comics. Maybes ah did get comics from ma friends. Ah'll tell ee, we didnae get them oorsels. That would be because oor parents couldnae afford them. Ah never mind o' a library, there wis no library at Coldingham as far as ah know. Well, it must ha' been the school we got the books from.

When ah went later on tae Coldingham School we got a lot o' poetry. And ee had tae recite it from memory. And ah got guid at that: Gray's *Elegy*, and a' these sort o' things. You learned them off. And oo got an awful lot o' Bible readin', got the psalms and paraphrases, the catechism. Ee never hear tell o' the catechism nowadays. Oo got a' these sort o' things. And the teacher at Coldingham, Mr Brown, wis a great man tae gie ye an hour in Bible. But he wis great – he'd ha' made a grand preacher! Ah dinnae mind any Bible trainin' wi' McCulloch at St Abbs School. If we got it ah cannae mind o't. But in thae days ye got prayers when ye went intae the school every mornin'. And ee got a hymn and then ee got a Bible readin'. And ee went right roond the class, a verse each, or the catechism, or something like that.

Oh, ma parents had a Bible at home. Well, ah dinnae mind o' readins at home frae the Bible, but ah can mind the hymns.

Oo used tae sing hymns at night, on a Sunday night. Oo went tae Sunday School later on when oo wis at Coldingham. Oo went tae the Priory. But ah didnae at St Abbs because there were only one church and it is – what wid it be? United Free, or somethin' like that? Ah never wis in it. Ah never went tae Sunday School till ah wis in aboot eleven or twelve.

Ah'd be in aboot that, eleven or twleve when ah went frae St Abbs School tae Coldingham School. There wis more rooms and more teachers at Coldingham School. Ah think it wis a kind o' secondary school. Ah wis fourteen when ah left the school in Coldingham. Ah got leave, ah got away frae it because it wis the wartime, the First World War, and ah got off twae or three months earlier tae gaun and work.

Ah can remember the First World War because often the schoolmaster at Coldingham yaised tae read letters he had gotten frae soldiers that had been boys at the school. Ah can remember the war happenin'. Ah wis gaun on nine when it began. But the war didnae touch us at a'. We never saw naething nor heard naething.

Ah remember one man at Northfield, Charlie Dunn, who joined up. He never come back. He wis reported missin' and he never come back, and his mother, ah think she died wi' a broken heart. Oh, she died very suddenly efter. Charlie Dunn wis a ploughman and he wisnae married, jist a young man. Ah've nae idea if he volunteered but ah can remember him.[12] Ah dinnae mind o' onybody else at Northfield goin' tae the war. Ah ken there would be some o' them but ah jist dinnae mind o' them very well. Ma faither wisnae called up because o' his work and his family, ah expect.

Ah saw a lot o' things at Northfield that went on on the sea, because every Monday mornin' there wis a big boat yaised tae come up. Frae where we were at Northfield ee could see it comin' frae the Newcastle wey up tae Leith and it wis called *The Pathfinder*. Ah always remember its name. And it wis stovin' black reek oot and a submarine chasin' it. Ee saw the submarine chasin' it and firin' at it. But it didnae get it. *The Pathfinder* got away frae him. That wis a bit o' excitement.[13]

And ah'll tell ee another thing. There wis a Saturday mornin' and there wis an awfy piece o' firin', gun firin', and ma mother and her neighbours went off up this path and ower the Bell Hill tae see what it was. And it wis a submarine bombin' a boat laden wi' monkey nuts. And it wouldnae sink. And they were shootin' the sailors as they were comin' doon the ropes, killin' some o' them. Whether they were a' killed or no', ah don't know. And the boat wis left tae flounder, ee see. And it wis towed round intae a bay ca'ed Pickerwick Bay. And ah can remember that because it wis a Saturday, and on the Sunday – it wis a beautiful day on the Sunday – folk came frae far and wide tae see that boat. Ah've never seen sich crowds. Where they a' come frae tae that isolated spot ah don't know. And they carted away thir monkey nuts, the people did. Of course, ye couldnae eat them for they were saturated in salt water. And the awfiest lot o' folk gathered them intae bags and took them hame tae feed their pigs. They said there wis monkey nuts on the top o' the sea as far as Newcastle, and folk wis getherin' them away doon on the beaches. But they couldnae yaise them. The pigs wouldnae even eat them – the salt water. Now as young as ah wis wi' ma father and mother and the rest o' the kids oo went tae see the ship when it wis in this bay. 'Twis lyin' in the bay, ye could walk oot tae it. So whatever happened tae it ah don't know. It wid maybe be broken up efter the war, ah dinnae mind, ah wisnae there. And ah can remember the lootin'. Ah saw a man takin' a glass, a wine glass, oot o' his inside pocket and lettin' ma faither see it. Things like that – lootin'.

The nut ship wis a Swedish boat, the *Odense* or the *Odin*, or somethin' like that it wis called.[14] There were two monkeys on it and the doctor that wis in Coldingham, Dr Calder – he'd only one leg, he went wi' a crutch – he got one monkey and ah cannae mind whae got t'other. But anyway Dr Calder had that monkey a long time, because if ever ah had tae go tae the surgery ah wis terrified for't, because it came runnin' tae meet ye and on tae your shoulder. It didnae touch ee nor onything but, ee ken, ah wis terrified for't. It eventually went tae a garage in Coldingham and it wis electrocuted on the rafters o' a shed they had. That wis the end o' the monkey.

And then, well, ah remember shipwrecks when we were at Northfield but ah didnae see them. They're terrible high cliffs at St Abbs Head, terrible cliffs, and they've got names. Ah cannae mind the names. But when a boat struck the rocks . . . Well, ma father wis in some . . . ah dinnae ken what it would be – but he wis engaged tae go tae the rescue and keep his horses and the lifebuoys for tae throw tae them. And when a boat struck the rocks they would go gallopin' past the hooses at Northfield whatever they could gallop, and away up through the hills tae thir roads tae rescue thir folk. Well, that happened quite often. There wis an old man at St Abbs – George Colvin – and he wis a cousin o' ma father's and he wis a great man. He wis everybody's friend and he kent a' the history o' the place and a' the wrecks and what happened tae them and a'thing. And he talked aboot a shipwreck ootside the harbour at St Abbs and everybody bein' drooned.

Ah can remember the Armistice at the end o' the war in 1918, because ah wis comin' hame frae the schule and come runnin' hame and telt ma mother the war wis finished. And of course bonfires wis a' gettin' lit on the top o' the hills, and the folk were oot rejoicin'. We werenae allowed oot. Ah can remember ma sisters and me we built a wee bonfire in the gairden!

Well, ah suppose there wis a sense o' great relief the war wis ower, although we didnae see much o't. Oo never saw bombin' or onythin' like that. Ah saw the Zeppelins, they yaised tae come ower. Ma faither yist tae get oo a' gethered thegither and intae the hoose when the Zeppelin come ower. But it wisnae aye German Zeppelins. Once ah mind an airship, ah mind o' the airship gettin' away. It trailed a rope for a long road and ma father wis ploughin' and he tried tae grab the rope and put it roond the handles o' his plough. But it wis gaun tae lift the plough so he had tae let it away. And ah think it went tae Coldingham Sands before it fell. Well, ah think the airship had maybe come frae East Fortune or somewhere like that. It had broken away.

Mary King

There wis a place at Coldingham Sands, away up on the hill, a great big house. Well, that wis a military hospital durin' the First World War. Ah think it wis called Millerton Hospital. And the wounded used tae come oot and they would throw their crutches down the hill and then they would skid on their behinds away doon tae the sands. Whether that wis tae bathe their feet and legs in the sea, they had a grand time. And there wis another big hill – ah forget what ye ca' it – and they gathered white pebbles doon on the beach and carried them up that hill and they wrote, printed, the name o' each battle: the Somme, and Hill 60, and, oh, ah cannae mind the others. And ee could see it ever so far – miles away.

In aboot 1916 or 1917 – well, ah cannae mind the exact year – oo had left Northfield and went tae Temple Hall. Ma auldest brother John wis born in 1918 at Temple Hall so oo must have moved there in aboot 1916 or '17. Ma faither'd been at Northfield for seven years anyway. Well, that Mr Morrison, the farmer at Northfield, he went away intae the Lothians – 'twis aboot Drem or somewhere, in that direction. And ah think it wis when he shifted that oo left Northfield. Mr Morrison wanted ma faither tae go wi' him tae the Lothians and ma faither didnae want tae go. He wanted tae stay where he was. So oo moved aboot that time tae Temple Hall, jist aboot a couple or three miles maybe frae Northfield. Oh, it wisnae far. But ah can remember it because it wis a lovely sunny day, the 28th o' May. And us kids a' set off tae meet the carts – ken, the carts came for your furniture – and we yaised tae run and meet them. The man ye were gaun tae – the Temple Hall farmer – sent the carts.

Well, there were usually three carts. Oo got a' the furniture on the three carts. Usually the third yin wis what they ca'ed a short cart, that wis a sma' yin. And the mother usually went in that wi' the youngest bairns and the cat, if ye had yin, or the pig in a bag. It wid lie squealin' among the straw. The pig lay in the bag till ee got there and then – it wid be a wee pig likely – ye wid pit it intae the sty efter ye arrived. Well, often if the pig wisnae too big ye'd take it wi' ye – if ma faither could cairry it. Oh, if it had been a big pig, well, it would jist have been killed before that, or sold. So ma sisters and me walked tae Temple Hall, well, behind the carts likely. The wee-est yins would be in a cart but us bigger yins would walk. Ma mother would go in a cart, ma father would be leadin' yin o' the horses.

The hoose at Temple Hall wis only a room and kitchen. It wis built for more show than anything because it had a lot o' woodwork on the ootside, painted jist like Swiss places. They were lovely hooses. A lot o' artists yaised tae come and paint them. Well, there were two beds in the kitchen and two in the room. Ma parents were in the kitchen. The younger yins would be in the kitchen an' a likely. And me and the older yins were in the room, maybe three or four tae a bed. It wis something like two at the top and two at the bottom! Ah had tae tell stories at night. And ah could tell stories from memory. And of course we wis nae sinner intae bed than ah had tae tell a story, and often they fell asleep. Oh, there wisnae nae fun and games – ye darenae. Oh, no, ma faither would be ben if ye started ony nonsense. Oh, he wis quite strict.

There were daist a well outside at the door for water. There wis only two cottages and the well wis shared wi' the other yins. And there wis no toilets, jist a dry closet at the fit o' the gairden, at the back. It wis years before ma mother and father ever had a hoose wi' a bath in it. And it wis jist an open fire, no' a range – the same again as at Northfield. But ah'll tell ee what ma mother got – ah dinnae ken when she got it: a paraffin stove, two or three burners, wi' an oven. Well, she had that for a few years and she used tae dae a lot o' cookin' and bakin' on that.

There wis nae electric light at Temple Hall, daist paraffin lamps, jist the same as at Northfield. But oo had one room less, because oo had had the attic at Northfield. At Temple Hall there were jist the room on the ground floor. It wis a smaller hoose. Well, ma father wouldnae likely have ony choice. It would matter tae him what the farm wis like and how much money he was gaun tae get. Oh, he'd go tae see the house at Temple Hall before he flitted there, because he'd have tae go in the month o' March tae set the gairden. Eee planted yer gairden in the March before ee started workin' at the May term. So he'd see the hoose when he wis there. The previous ploughman would still be there at that time and he wid have tae clear the gairden oot tae let ma father plant it.

Well, Temple Hall farm wis a wee farm, right enough. But there wis another farm – another wee farm – and there wis a third farm. So the three farms wis a'thegither: Temple Hall, Silverwells and Abbey Park. There wis jist the one farmer who had the three farms. He wis a titled gentleman. He used tae be a captain – Captain Butter. Ah think he wis an army captain. Well, ah'll tell ee what ah mind aboot him. He went intae the big mansion house and his family. And ma mother used tae get a lot o' work there, workin' in the kitchens and what not. And this Captain Butter he'd been a big game hunter. The game that he killed he had them a' stuffed. And then he shipped them tae Coldingham tae this big hoose and knocked two big rooms intae one, tae make a museum or whatever ee like, tae show them off. And he had open days for folk tae come and see them. What ah mind wis the men wi' their cairts bringing thir animals frae Reston station, and seein' a stuffed giraffe pokin' up oot o' a cairt, comin' ower the hill. But Captain Butter didnae stay at Temple Hall that long. He had bad health. They went away tae a big hoose in Gifford, that's where they went. And there wis a Major somebody came into the big hoose. He didnae stop long ither, whether he didnae like it or it wasnae payin' or what, ah don't know. But it went back tae single farmers efter that. Ma father remained at Temple Hall until the Major left, or in aboot that time. Ma father must have been four or five years there, oh, till the early '20s, ah think.

Well, ah think it wis very likely very soon efter the war finished, when oo'd been at Temple Hall in aboot a year or twae, ah left the school. Ah cannae mind. It wid be in the December onyway. Ah wid be jist thirteen, so it wid be December 1918. Ma mother applied for this exemption. There were two or three o' us at the school aboot the same age and we all wanted off at the same time and ah think oo got off. The exemption wis to let oo get workin', let oo get a job, let oo get away tae work.[15]

Ah wid like tae have been a nurse. Oh, ye often thought o' bein' a nurse. Or tae go tae service, domestic service. But ah never got the chance. Well, ma mother worked a lot. There wis a big mansion at Temple Hall and durin' the war there wis a regiment o' soldiers camped in a field there – the 2/10th Royal Scots.[16] And she worked in this big hoose a lot. She worked in it even when the gentry were in it, ye ken, she yaised tae gaun up cleanin' and a' that sort o' thing. And when ah left the school ah kept the wee lassie at hame, ma youngest sister Ina. Ah looked efter her and let ma mother work. Ah wid dae that until the May term and then ah started tae work at the May term in 1919.

Well, ah yaised tae walk on Monday mornins tae this place, Whitecross they ca'ed it, a farm place aboot a mile away, and help the fermer's wife there – jist, ee ken, washin' dishes, housework, and maybe doin' vegetables, and things like that, jist helpin' the wife. Ah went away frae Temple Hall in time tae start at seeven o'clock. Well, it wis a guid walk. It wid take me aboot half an hour maybe. Oh, ah'd be up aboot six o'clock in the mornin' and got ma breakfast and then walk tae Whitecross. It wis quite a small farm, there were jist the farmer and his son worked it.

Ah stopped a' night at Whitecross. Ah used tae sleep there, 'cause it wis the wintertime and ah wis terrified tae walk that dark road at night. Oh, ma parents were quite happy wi' that arrangement. They kent them. So ah started work at seven and then, och, ah'd likely get a break. Ah cannae mind. Then there would be a dinner at the middle o' the day. Ah et wi' thame, the family. Oh, they were very kind tae me. And then ah started work again efter dinner till aboot five – till teatime, five o'clock. Then ah wis finished.

In the evening at Whitecross sometimes ah went away oot tae gether the eggs or things like that, or did work in the gairden, or something like that. Oh, that wisnae regarded as part o' ma day's work, oh, no. It wis jist something ah did masel'. Well, ah wis a bit homesick at Whitecross. Oh, ah wis only thirteen. The fermer's wife yaised tae come oot walkin' wi' iz an' a', tend the gairden and roond the fields, and things like that. Ah went hame the week-ends. Ah dinnae think ah worked on Saturdays at Whitecross, ah dinnae think sae. It wis Monday to Friday, and then ah went home on Friday night. And then ah came back on Monday mornin' tae Whitecross.

Ah cannae mind what ah wis paid there. 'Twisnae very much, jist a shillin' or two. Oh, ah gave ma pay tae ma mother. Ah dinnae think ma mother gave me a penny or tuppence tae masel', ah dinnae think sae. Ah cannae mind. There werenae sich a thing as pocket money in these days, never heard tell o' that – no' unless ah wanted something.

But that job at Whitecross didnae last long. Then ah wis bonded tae ma father at Temple Hall frae the age o' thirteen. Well, ye were bonded tae the ploughman. You were his worker, ah expect that's what bein' a bondager wid mean. Ah never thought much aboot it. But ye aye talked aboot the bondagers. It wis aye ma faither ah wis bonded tae. Ah worked beside him. Ah didnae sign any papers, nothing like that. Ma faither would arrange it. Ah would never be consulted. Ah wid jist be telt, 'Ye're gaun tae work oot.' And that wis that. So ah never got the chance tae have been a nurse or tae go tae service – ah always wanted tae go intae big houses where there wis a big staff. Oh, ah wis never asked what ma own wishes were. Ah suppose ah would be disappointed to have tae work on the farm, but ah never thought naethin' aboot it. It wis the custom, you jist accepted it.

Well, ah can remember the first day ah went out ah felt a bloomin' fool because ah wis dressed wi' this big straw hat and the drugget skirt and the brat, because ah wis supposed tae be a bondager. There wis an older woman, ee see, and ah wis dressed the same as her. And ah remember her takin' me tae the granary, up the stair, and writin' ma name and ma age and ma weight. And ah wis 7 stone 12. Ah wis only thirteen years auld. And that's what ah was. Oh, she took me tae the granary because, oh, a lot o' the folk used tae write their names on new wood especially. Ma name'll still be there, well, if the granary's still there! But ah dinnae ken if it is or no'! But that wis quite a common thing. Well, a lot o' them yaised tae write their names and addresses and then somebody else would see it the next time they came roond.

Ma mother had had tae buy the drugget and make the dress and the hat. It wis a kind o' uniform which you were expected tae wear as a bondager. Well, ah had this straw hat. It wis black cloth lacquered, straw, and it wis a big scoop-shaped thing and it wis lined wi' print and it had ties to tae tie under eer chin. Oh, the hat wid be tae keep the sun off ye likely, if there wis ony! Well, ah couldnae tell ee whether it wis good in wet weather, because ah hardly ever wore it. Ah wouldnae wear it. It always lay the back o' a gate in a field till ah wis feenished. Ah took it hame and then it came back the next day. Well, ma parents they expected me tae wear it but ah didnae. And the last day ah worked oot the ferm ah set fire tae't. Ah burnt it. Ah did. Ah said, 'Ah'll no' need that any mair.' So ah burnt it.

At Temple Hall ma father wis the first ploughman again. There must have been three or four ploughmen. Ah never mind ony Irishmen there. When the Major wis there later on there wis a lot o' horses came frae the war – Belgian horses. Well, there were six o' them came tae Temple Hall, so there must have been three or four ploughmen. Ah can mind o' these horses, because when an aeroplane come ower, oh, they jist aboot went daft. Oh, nervous! But they were lovely horses.

Well, as a bondager ee worked the same hours as the men, frae six tae six in the spring, ye ken. When it come the first o' March ye'd come oot the stable when the men come oot. Ye got your orders in the stable from the steward or the grieve, whatever ye ca' him. And ye went oot tae the field. And at the May term it wis usually singlin' turnips or hoein' turnips or lots o' jobs, ye ken, like that – cleanin' oot the byre or the granaries or onything like that. A wet day, ye often were inside on a wet day mendin' bags, stitchin' grain bags, mendin' them, or somethin' like that. The fermer didnae send ye oot intae the bad weather, no' if it wis awfy bad. Ye got an indoor job. So as a bondager ah wis really doin' odd jobs aboot the ferm, and workin' the same hours as the men.

From the first o' March ye started at six in the mornin' and ye finished at six at night. It wis a while before the Saturday afternoon holiday comes in. Ah cannae mind when they started, whether it wis efter the First World War or no'. Well, ah think it varied frae yin part o' the country tae the other. Ma father wis a member o' the Farm Servants' Union.[17] Ah think he had jist become yin then when ah started as a bondager. And he had heard tell o' a lot o' the rules. And they wanted a Saturday afternoon and they had to fight for it until they got it. That wis efter ah started work, 'cause ah remember workin' on Seturday efternins. The first time ever ah worked ah worked on Seturday efternins. As a girl o' thirteen years auld ah wis workin' twelve hour days, frae six in the mornin' tae six at night. So that wis aboot 72 hours a week.

Well, ye got daist ten meenutes for your breakfast. Ye got two hours at dinner time – that wis tae rest the horses. Well, there wis a break in the efternin but ye didnae eat onything unless ye fetched something wi' ye. But it wis too near finishin' time for tae take anything tae eat. Ah cannae mind o' takin' a piece wi' me in the efternin, ah cannae mind o' daein' that. Oh, ye took yin wi' ye in the mornin', and a flask o' tea – no' a thermos, a tin bottle. And that wis in the mornins. But ah dinnae think oo cairried it in the efternin. Oh, in the mornins ee jist took a bit jam or cheese for your piece, oh, whatever wis goin'.

We had oor breakfast before oo went oot. Oh, oo would be up at five o'clock in the mornin' likely, and then oo had oor breakfast. And then oo went up tae the stables to get oor instructions.

Ee often walked oot tae the fields. Oh, ah never went on the horses. Ye ken, their backs is aboot that breadth. Ah couldnae sit on them. Ah tried it but ah couldnae dae't. If it wis a distance ee'd go in a cart, if there were a cart gaun. But ee often walked.

When ah first began as a bondager ah think it wis thirteen

shillins the wages. But ah'm no shair. It wis seventeen shillins if ee stopped on another year. And ah think ee got a pound the next year. Well, at Temple Hall there were only the two women wis there. But when ah wis workin' as a bondager ah never got ma own wages, no' even when ah wis workin' as a woman bondager. They were a' paid intae ma father's envelope.

Oo never had holidays. Ma father at Northfield never had holidays, no' that ah ken o', he never had ony. The only holidays he got would be a hirin' day – Berwick Hirin', Dunse Hirin',[18] or the shows: Dunse Show, the Highland Show, a' thae agricultural shows. Ah can remember the farmer givin' the farm workers a day off tae go tae the Highland Show. And, ye know, the Highland Show wisnae in Ingliston in thae days – it travelled: Aberdeen, and a' the different places. And every year the farmer he sent his workers on a day tae the Highland Show. Oh, they'd get their wages, they were paid. But that wis the only holiday they had, when they went tae the Highland Show. Oh, well, oo wis aye off on New Year's Day. But no' Christmas Day, it never wis recognised. But, ma father didnae get any summer holidays. And, ye know, we were off oor six weeks from the school. But oo never got away a holiday, no, never was away a holiday when ah wis a girl at Northfield.

Ah'd be twae or three years workin' at Temple Hall as a bondager, frae thirteen tae ah'd be sixteen or seventeen. Then ma father moved tae West Blanerne near Duns, and ah went there wi' ma parents.

At West Blanerne there were three bondagers. Well, they were older than me. But ma next sister Margaret – she wis fifteen month younger than me – she wis a bondager there, too. She started at West Blanerne.

The hours at West Blanerne were jist the same as at Temple Hall. The wages, well, they would be a wee bittie bigger, because ah wis two or three years older than when ah'd first begun at Temple Hall. Ah think when ah went tae West Blanerne ah wis gettin' seventeen shillings a week. Ah think ah wis gettin' that.

Mary King

Ah'll tell ee what ah did. Ah often used tae work the horse. Ah used tae often take a horse and fill the cart wi' turnips and take it oot tae the sheep, or somethin' like that. In the harvest time ah led in corn wi' the horse. Ah never did ony ploughin'. We didnae do that. The men wouldnae let ye! It wis only men at the ploughin'. At the harvest the bondagers we did the stookin'. But when it came tae leadin' in the corn ah often had a horse, and somebody forked the sheaves up on tae the cairt and ah loaded it.

Bondagers werenae allowed tae sit on the binder. Ah never saw that happen. It was a man's job. Well, it's a heavy job. Ah've often seen three horses on the binder. Ah never wis on a binder. Oh, in the harvest time ah had tae fork the sheaves on tae the stack. And at the hay-making the very same. Well, buildin' the stacks wi' the sheaves o' corn wis a man's job, for ma faither wis awfy guid at it, awfy particular. It wis a skilled job. And if ah had a horse and cairt and a load o' sheaves, ah forked them on tae the stack and he built it. Ah never built a stack, because it wis a skilled job. Bondagers didnae build stacks, no' in ma experience.

Oh, there wis a guid range o' work the bondagers did, right enough. Oh, oo did shawin' turnips and plantin' tatties and howkin' tatties, oh, oo did that. Hard work, ye ken. Shawin' wis a back-breakin' work. And cauld on the hands, shawin'. Tatties wis a back-breakin' work. On the winter mornins, well, often at a tattie pit, where they had tatties stored in pits, ye'd have tae go oot and ye selected the tatties. Ye put the guid yins intae different bags, the other yins – for sale or for plantin' or for somethin' like that. And ah've seen it terrible cauld.

And, ee see, oo never wore trousers. Ah never saw a woman wi' trousers until the Land Army in the Second World War.[19] But trousers didnae come in for a guid few years efter that. Well, trousers they were an awful lot better for goin' up ladders or forkin' things up heights or onythin' like that.

As bondagers oo wore tackety boots. They were laced up tae eer ankles. And gey often ee had a pair o' leggins, very often puttees. D'ye mind o' the puttees in the First World

War? Well, ee got thame cheap and ee wrapped them roond. There wis a knack in wrappin' them roond. But they kept your legs warm and dry.

Ah didnae join the union, ah never wis in ony unions. There werenae – ah never heard o' women bein' in the union, jist the men. Ma father wis a strong union man. Ah think he joined when he was at Northfield. He wis a strong union man but, oh, ah dinnae think he wis an office bearer. Ah mind o' him gaun tae meetins, but ah get mixed up because he wis in the Territorials durin' the First World War. Because we had tae clean his brasses and a' the things that he had for tae gaun oot tae meetins. But he didnae lest long in the Territorials: he didnae like it. So he would never have made a soldier ah dinnae think! But, oh, ah mind o' him gaun oot the hoose at night and ah kenned he'd be away tae the union meetin'. It would be in Coldingham the union met. But ah never heard ma father sayin' onything aboot the union. Ah never heard o' a strike. Ah don't remember any meetins o' farm workers at Northfield or Temple Hall or West Blanerne.

At West Blanerne there wis the shepherd and the steward, and then there wis a byreman – he lived next door tae us. The steward's wife used tae milk the cows. And there wis three ploughmen. Ma faither wis the first ploughman again.

The houses at West Blanerne they were only single stories but they had three bedrooms – a kitchen and two bedrooms off, and a third bedroom. Oh, that wis bigger than Temple Hall house, oh, it wis big. But the rooms at West Blanerne werenae big, they were single rooms. It meant that us – there were so many of us – oo got rooms: no' one each, but oo got better accommodation there. Ah had three wee brothers there. Oh, ma mother wis quite pleased it was a much bigger house, was she no'. It wis mair work, of course.

The cookin' arrangements were jist the same – an open fire. But ah think she had a stove, a paraffin stove, by this. Now where wis the water – oh, it wis jist a spigot outside. Ye'd ca' them a stand-pipe or somethin' like that, half-way up the gairden. The whole place shared it. There were six houses at West Blanerne.

Well, ah'd be only three years, ah think, at West Blanerne. Ah didnae work an awful lot on the land at West Blanerne. Ah worked an awful lot in the farmhouse even when ah wis on the land. There were three servants in the farmhouse: a cook, a housemaid, and a nanny – and they were often, ye ken, maybe withoot yin. And the mistress wid send for me tae come in. And ah wis often months in there. Oh, ah liked workin' inside, ah preferred that tae workin' on the land.

Then ah wis away tae service, domestic service. Well, it wis tae make room for ma sisters. Ee see, each year ah had a sister came o' age tae work on the land, and ah had tae move oot tae let . . . Ah wis nineteen, for that's when ma youngest brother Robin wis born. Ah had four younger sisters and three younger brothers by then. And it wis understood that ah wid go tae service when they got auld enough. Well, ah think that wis the sort o' thing that wis done in other families, tae, in these days. The auldest girl wis expected tae leave home and go into service or maybe get a job as a bondager on another farm away frae home, or get married. So ah went away frae West Blanerne intae full-time service when ah wis nineteen. Ah did want tae leave the land.

Ma first job wis Nisbet House. It wis a big house, a big lovely house, jist ootside o' Duns. Ah saw that job advertised in the *Berwickshire News* and went after it. Ah went personally tae the big house, ah got an interview and ah wis telt ah had the job. So ah wis the kitchen maid. The mistress, the lady o' the house, Mrs Alston, interviewed me. Oh, well, the Alstons they were gentry but no' farmers. It wis an estate. They had been there for a while, for years afore ah went there. They were English and ah dinnae ken what they did. Ah mean, ah dinnae know what they would be, where he got his money from. But they had money. They had money, right enough.

And they had beautiful gardens at Nisbet House, and three or four gardeners, and ootbye workers – ye know, estate workers, foresters, and a'thing like that. And keepers, two or three keepers for tae look after the dogs and gaun oot and tae see tae the vermin and stuff, pheasants.

Oh, Nisbet wis a great big hoose, an awfy lot o' rooms. It wis a beautiful house. Well, there wis a wing where the staff were, and we all had bedrooms tae oorself. Ah shared wi' the under-tablemaid, Margaret Anthony. She wis a wee bit younger than me. Ah think it wis oor ain wish that oo wanted tae share the room. But it wis a big room wi' two beds, and her and I oo shared the room a' the years oo wis there, and kept in touch tae this present day. She lives in Dunbar now. Ah havenae seen her for years but she never misses a Christmas card. It's the first yin ah get every year. And we've been friends a' these years, it wid be more as seventy years.

In the kitchen there wis the cook and a kitchen maid – that wis me. And then at the table there yaised tae be a butler when ah went first but he went away. There wis the head tablemaid and an under-tablemaid – that wis Margaret Anthony, and there wis a head housemaid and an under-housemaid. And there wis a . . . she wisnae a nanny. What did she dae? She looked efter the young lady, ah mean, she attended tae her – a sort o' governess: lady's maid, she was the lady's maid. She didnae teach her or onythin' like that. The Alstons had nae sons, jist one daughter, Miss Sheila. She wis jist a teenager. Well, ah hardly ever saw her, very seldom saw Miss Sheila.

Ah got on awfy well wi' the lady's maid, because she had the dog tae look efter. That Sheila had a dog, a West Highland terrier or somethin'. She ca'ed it Hamish, and Hamish wis aye gettin' lost! He'd run away. He'd be let oot and he'd run away and she couldnae get him. She'd be through a' the bushes and everything. And ah wid say tae her, ah says, 'Ah'll get Hamish for ye.' Ah jist needed tae shout 'Hamish!' and he wis there. He kent he aye got tit-bits in the kitchen. Oh, ah wisnae nervous aboot Hamish at a'.

But of course there wis a lot o' dogs in the kennels. The keepers had a lot o' dogs. There were three or four keepers, and there wis an odd job man that cleaned the boots and brought in the coals and the kindlin' and a' these sort o' jobs. There wis a chauffeur, and he had his father-in-law lived wi' him and he looked after the hens and the ducks, and he came tae the kitchen for a' the scraps for tae take tae the hens and that. And he brought in the eggs, and a' that sort o' job he did.

Oh, there were a lot o' ootbye workers, and gardeners, a lot o' gardeners. And there wis young fellaes came in frae Duns tae work in the gardens. And ah very often got a job tae gaun oot and pick berries. Ah liked that, for ah got ootside! Oh, ah preferred workin' at Nisbet House tae workin' on the land as a bondager, oh, yes – different work a'thegither. Oh, ah don't know why ah preferred it – ah think it wid be the company. Workin' on the land wis a lonely job, and it wis drudgery, sort o' style. Ye werenae always workin' wi' other farm workers. Sometimes ah wis on ma own. But at Nisbet House ah wis always wi' the other girls, the other servants. Oh, ah got on weel wi' them a'.

And, d'ye know, the Alstons took me to London for three month. They took a house in London every year in the month o' January, February and March, and came home at the beginnin' o' April. And they took me one year wi' them. The house wis in Lowndes Square in London. The tablemaid and the under-tablemaid always went, and the cook and the kitchen maid. So that wis four o' us that went. The other servants were already in the hired house.

Ah didnae like the house in London very well. The kitchens wis in the basement, and the servants' hall wis in the basement. And ah felt awfy shut in, ye know. Ye never saw daylight 'cause ye worked in artifical light a' the time. Ye got oot the same hours as ye got when ah wis at home, and ee always got oot in twos. Ee were never allowed oot alone. Ah think that it wis jist for safety. The under-tablemaid and I always went tae the pictures! We went out tae the pictures. That wis oor day off. We went tae Oxford Street tae Selfridge's, the big shops there. Ah mind the very first thing oo did when oo arrived the tablemaid took us tae Buckingham Palace tae see it, and took oo tae see Westminster, and the awfyest lot o' places. And the mistress, Mrs Alston, sent oo tae a theatre, booked a theatre for us a' tae gaun tae see *Rose Marie*, and got a taxi tae take us. Oh, ah enjoyed that visit tae

London, ah liked that. It wis a new world for ee. Ah liked oot, but ah didnae like the hoose. Oo slept in the attics, and ah didnae like it away up in the attics. But doon in the basement the place wis dark if the lights wisnae on.

When the Alstons were away in London every year the head housemaid, an elderly woman, her and I wis often oorsels at Nisbet House, the twae o' us when the rest were a' in London. And we did the cleanin' – and, mind ee, ah mean cleanin'! The head housemaid, Annie something, she wis an awfy wummin tae work, an awfy yin tae clean. And the month ah yaised tae spend wi' Annie at the cleanin', my goodness, we started at the top o' the hoose tae the very bottom. But they got in a big firm o' painters frae Galashiels tae dae the bottom places, like the kitchens and the pantries and the servants' hall, a' thame wis din wi' this firm o' painters. But Annie wis an awfy nice auld wummin. She wis a Highland wummin, she belonged tae Lochgilphead and she yaised tae go home maybe once in a blue moon. She yaised tae tell me her experiences o' sailin' oot tae thir islands in the Highlands.

Ye hadnae hours in service. Ee had tae get up . . . Ah wis always up at six o'clock in the mornin' and ee wis in the kitchen at half past six and lit the big ranges and boilers, and a' that sort o' thing. They were long hours. You worked seven days a week but ee got off one half day a week, and every other Sunday. Ah aye got a Wednesday or a Thursday afternoon off. Ah finished at two o'clock, 'cause ah had tae have the lunch dishes washed afore oo got away, and then ah didnae have tae work the rest o' that day. Ah wis away a run on ma bike and ah wis away hame. Ah had a bike, oh, no' long efter ah went tae Nisbet ah would buy a bike. Ah went hame on ma bike on ma days oot.

The servants didnae all go tae church on a Sunday, they did not. Ah wis the only yin that went tae the service. Ah yaised tae ask – ah think it wis mair tae get oot than onythin' – ah used tae ask tae get tae communion or get tae a Sunday service. And ah aye got. They had tae let ee go tae church if ee wanted, and especially communion, 'cause that kept your membership gaun.

Oo got three weeks' holidays. When ah come back frae London that time ah started the three weeks at home. Ah never had ony holidays before then, never got ony. Well, oo never got Christmas Day. It wis a long year, a long day.

Oh, mony a time ah felt bored or restless at Nisbet House. Peggy, oo ca'ed this under-hoosemaid Margaret Anthony, her and I and the tablemaid, used tae scoot off away doon the riverside and, ken, have a walk somewhere else. Oo shouldnae, oo took a bit o' a risk, but as long as oo wisnae found oot. We didnae get oot at night, of course. Well, the only time ee wis oot at night wis your day off and ee had tae be in at ten o'clock or else the door wis locked. So ee were off at two o'clock and ee had tae be back by ten. Ah never wis locked oot. Oh, ah heard some o' the others rattlin' at the windaes if they were late. But ah used tae aye say, 'Well, if they lock me oot ah'll go roond tae the front door and ah'll keep ma finger on the bell till somebody comes!' So they never locked me oot. But somebody let the other girls in. There werenae a particular windae ee went tae. A' the windaes wis barred. That's what ah think aboot now. If there'd been a fire we'd been a' burned tae death, 'cause a' the windaes wis iron barred. This was in the servants' wing. Well, they kent where the tablemaid slept and ee'd rattle at her windae tae come and let ye in. She would likely make a fuss but oo didn't mind that. Her windae wis barred tae, but she came along the passage and opened the side door. Ah never remember anybody gettin' an awfy row frae Mr and Mrs Alston for bein' late, and nobody ever stayed oot a' night, no' that ah ken o'.

Among the servants, well, there wis a class. The head servants didnae associate sae well wi' the under-servants. But, oh, we didnae care. There wis aye three or four o' us under-servants and we were a' right. And we got tae the dances – but no' till ten o'clock at night. Efter the dinner dishes were a' washed oo got away tae some o' the dances at Duns or ony little village school, or onything like that. Oh, ah wis very, very keen on dancing. It wisnae ballroom dancin', it wis country dancin', 'cause a' the yokels came tae it. It wis quite excitin' tae get oot like that wi' ma friends. Ah liked that.

When ah started at Nisbet House the wages wis £2.50, £2.10.0, a month, ah think it wis, or something like that. Oh, it wisnae much – aboot twelve shillins a week or so. Ah got ma food as well, oh, plenty food and the accommodation was good. They never skimped oor food. Ah thought the Alstons were very good employers, quite kind and sympathetic.

When ah went home on ma bike on ma days oot ah always gave ma mother a pound o' ma wages, 'cause she wis in the habit o' gettin' ma wages when ah worked on the land. And there wis a lot o' them at home. So ah always left a pound note on the mantelpiece. It didnae leave me wi' much money then. But things werenae dear then. A costume would be a pound, ken, or onything like that. Well, we were able tae save a little. When the toffs were in London we got a sum o' money and we'd tae keep oorsels. If ee had onything left ee saved it.

Ah wis four and a half years workin' wi' the Alstons at Nisbet House. Then, efter ah left, oh, Mr Alston died and they broke up the house then. So ah dinnae ken what happened efter that. A' thame that had been a year or more in his employ got a hunder pound, but ah didnae. Ah wis away before they distributed it, so ah missed. It wis a lot o' money. It would ha' been a godsend tae us.

Ah left Nisbet House tae get married. Ah wis twenty-three when ah wis married. That wid be in December 1928. Ah had met ma husband when he wis cuttin' wid on the estate. There wis an awfy big blow, a terrible gale, in the January – that wis the year ah wis in London – and there were an awfy lot o' trees blown down, an awfy lot o' trees in the estate at Nisbet Hoose. And this squad o' woodcutters a' came tae cut them up and clean the place up. So that's where ah met him. He wis frae roond aboot Duns. Ah kent o' him, ah knew him, and ah knew his folks an' a'. And ah knew he wis a widcutter for there wis five sons o' them and they were a' woodcutters. And they'd a' racin' motor bikes, and ye could hear them comin' along frae Duns on a Seturday night, racin' up the hill on their motor bikes.

Ah wis merried in the manse at Chirnside. It wis very

common then tae get merried in the manse. Well, ah think that there were less fuss an' that, 'cause ee got dressed and ee went wi' your best man and your best maid and ye went intae the sittin' room or lounge or whatever it wis, in the manse. And ye had quite a nice service. But in the church there's sich a cairry on. It wis less formal in the manse so ah got merried in the manse.

In these days ye gave up your job in service as soon as ee got merried. Ah think maist girls did when they got merried. A lot o' them, like me, yaised tae take an odd job efter. Well, ah'd gied up ma job, because oo got a lodge house on an estate nearby – Langton. It's no' there now. Ah mean, the Second War put the finish tae a' the estates, because they brought the army in and they destroyed everything they touched. We had a lovely lodge at Langton, and the very first night the army come in – it wis the Staffordshire Regiment – ma husband had a beam at the back door under the roof and a' his onions wis hangin'. They were a' stolen the first night. And they were never away frae the door wantin' cups o' tea. They were a bloomin' nuisance.

Efter ah got merried and efter the bairns wis born – ah had a son and a daughter, Sybil's aulder than John – ah started workin' in the fields. Efter the bairns went away tae the school ah used tae go oot tae a thrashin' mill or the singlin' or turnip-shawin' or the harvest, onything like that. Ah wis on the farms roond aboot Langton. Ah wisnae employed full-time. The fermers used tae send for iz if they had the threshin' mill comin' in, or onything like that. And gey often ah went tae big hooses tae dae their washins, especially blankets. Ah yaised tae go a lot tae folk's hooses tae wash their blankets.

Oo lived on the Langton estate for a guid number o' years. It was durin' the Second World War there wis what they ca'ed a stand-still order: if ye had a job ye'd tae stay in it till the war wis finished.[20] So ma husband wis in the woods and he wis wi' Brownlie of Earlston, that's a timber merchant. So ma husband's brother came tae visit us that day, and he wis wi' James Jones & Son o' Larbert. So he says, 'What aboot shiftin' – mair money?' And a' the rest. So we did. And oo come through tae Peeblesshire, tae Lamancha, durin' the war. Of course, the bairns wid be gaun away tae school and ah yaised tae go oot tae the thrashin' mills at the various farms roond aboot Lamancha.

Well, we had a wooden house there, a forestry house, wi' three rooms and water in them.[21] We had water at Langton and an outside lavatory, a flush lavatory, but it wis outside. No bath at Langton, but ah could bring a tub or a tin bath intae the back kitchen and put on a boiler, for ah had a boiler, and heat the water that way an' oo could get baths that way. Oo had five rooms at Langton, it wis a big hoose. Ah liked it. Well, oo wis at Lamancha for one year, and then oo came along tae the sawmill at Dryden at Loanhead in Midlothian. Well, oo brought oor hut wi' oo frae Lamancha and built a sawmill at Dryden, and oo wis there a number o' years. And then ah got a hoose at Bilston in 1949, December. It wis ma birthday, 44th birthday in 1949, and ah got the missive for the house and ah've been in it ever since. It wis the first time ah had a house wi' a bath in it.

By then ah had had three boys and a girl. Ah lost a little boy in 1937 when he was eight months old. He died wi' a twist in the bowels and it turned intae gangrene because there were nae penicillin in '37, and he died. And then ah had ma youngest son Jim when ah wis thirty-nine at the end o' the war.

Ah often had ma mother and father here at Bilston, ye ken, because they were daist in a single end in Duns. And ah used tae often fetch them here, because he liked the walks aboot Bilston. Ma father died aboot 1956, on the 29th o' February. He wis 74. And if he had waited another day it'd have been his birthday, for his birthday wis the 1st o' March. Ma mother killed herself workin', she wis sic a worker. She wis only seventy-one. She dropped doon on the carpet, as sudden as that. Ma faither's buried in Duns ceemetery, and so is ma mother.

Well, lookin' back on ma life ah think ma happiest years wis when ah wis married and lived in that lodge at Langton.

Mary King

The bairns were baith at Gavinton School and ah went oot tae work when they were at the school and got extras when they needed them. Ah think the fields wis hard, awfy hard, rough work and gey often in a' weathers.

Margaret Paxton

Ma father wis a dairyman. Well, he hadnae a long life. I would be about seventeen when he died in 1922 at Yetholm Mains, right on the Border. Ma mother said that ah'd ha' tae dae something. Well, I was going to be a nurse. And, well, ah changed ma mind. Ah wanted to be at home with ma mother. Ah had two brothers and two sisters. Ah'm the oldest. And ah decided to work out in the fields as a bondager. It wis my idea. Mr Roberton, the farmer at Yetholm Mains, he came after ma father died and he said what wid ah like tae dae? And ah said ah wid like tae work on the farm. Ee ken, there were nobody else – no woman worker, jist maself. And he said that wid be a' right.

Ah wis born in 1905, October the 28th, at Gattonside, near Melrose. Ma father belonged Dumfriesshire. Ah think he wis aye in Dumfriesshire and he had come to Melrose tae work daist before ah wis born. Ma mother belonged Canonbie in Dumfriesshire and she had work-ed in service, domestic service, before she wis married. She never work-ed on the farm. She went straight from school into service. Well, there were one place she work-ed – The Bloch, or Plough. She work-ed there. Robin Hope wis the gentleman farmer there. Oh, she'd jist be in her 'twenties when she got married to ma father. Once she got married she stopp-ed workin'. That wis the practice in these days.

Ma grandfather – ma father's father – used tae fell trees, ah ken. A forester he wid be, on the Duke o' Buccleuch's estate at Canonbie. Ah wid think he did that a' his life. He never worked on farms, always in the wids. Ma grandmother – ma father's mother – she used tae work oot in places. Ee ken, if they wanted her for hey or thrashins or onything she used tae gaun oot. That wis after she wis married. Ah dinnae know what she did before she was married.

Ah remember ma other granny Thomson – ma mother's mother – but ma grandfather had died when ah wis a wee girl. Ah dinnae remember him at all. Ma granny lived with ma parents a while. And ah lived with ma granny for a long time in Newcastleton, on the Border. Ah went tae live wi' her when ma grandfather died, tae keep her company. Oh, ah must have been gey young, oh, long before the First World War. Ma parents said ah should go and live with her and keep her company. Ah hadnae begun school when ah went tae live wi' ma granny Thomson. Ah started school at Newcastleton.

Ah remember the house ma parents lived in at Gattonside. It wis a big house. It wis jist a house in the village. It wasn't a farm cottage. Oh, ah jist cannae remember how many rooms it had. It wid have four or five. Farm workers' houses usually only had two rooms or three rooms. The house jist had paraffin lamps. Ma mother didnae have running water in the house, she got her water from jist outside at a tap. Ah think they'd be the whole village that shared that tap. Oh, there wis jist the one tap for the village. Ah wis sent out to get the water sometimes. It wis quite a heavy job carryin' the pails in.

At Gattonside it wis jist a dry outside toilet in the bottom o' the garden. Oh, we didnae share it wi' other families.

Ma mother did the cookin' on the fire – an open fire, no' a range, and a swee and a kettle. She didnae have a paraffin cooker or anything like that. The cookin' wis jist a' din on the fire. She'd an oven and a wee hot water tank wi' a wee tap. Ye didnae get much hot water out o' that.

Ah remember washin' days at Gattonside. Ma mother did the washin' wi' a scrubbing board and a wooden tub. What a job! And filling pails of hot water intae it. Monday wis her washing day – all done by hand.

Ah must have been gey young when ah went tae live wi' ma granny Thomson at Newcastleton. Ah'd be only five or six years old. Well, her son, ma uncle Adam, lived wi' her. He wis quite young and wisnae married. He wis a railwayman and worked at Newcastleton station. Ma granny she had jist work-ed at places, jist outside on farms, before she got married. She lived tae she wis 83.

Ah hadnae started school when ah went tae live wi' ma granny. Ah remember startin' school at Newcastleton. There would be six teachers there, 'twas a big school. It's a big village, of course. In ma class there would be what now, oh, there wid be about twelve pupils, aye, about twelve. There were one there and he wis fourteen year old, and he used tae stay in there and ah think he'd never be moved, because he wisnae very guid at anything. But he used tae cause a lot o' trouble. And the master used tae come and strap him. So this day, ah wis sittin' beside him, ah mind, and the master wis strappin' him and ah started tae greet. Ah thought ah wis goin' tae get the next! Oh, the discipline wis very strict at the school.

Ah remained at Newcastleton till ah wis about eight, maybe about three years. Ah went back then tae ma parents at Kirkton, near Hawick. They had moved tae Kirkton by that time. Ma father was still workin' as a dairyman and had a job on Kirkton farm. They ca'ed the farmer Robert Bell.

Ah went then tae Kirkton Public School, the wee school. Oh, it wis much smaller than Newcastleton: two teachers, the gentleman teacher and the lady teacher. The gentleman wis the head teacher. They called him Maister Turnbull. Oh, it wis quite a good school Ah learned a lot at that school. Well, ee ken, ah think it wis wi' me bein' older ah thought it wis a better school. But if ah had maybe went on in the rooms at Newcastleton ah wid maybe ha' gotten tae like it, tae. But ah really did like Kirkton.

At Kirkton the pupils stayed till they were fourteen. There used to be about three classes in the room. And the like o' the schoolmaster's class, there would be maybe four. And the schoolmaster sent out a minister out o' there, out o' his class – one o' his pupils became a minister later on. Oh, he was very bright, John Wilson they called him.

Ah like-ed arithmetic, ah did like arithmetic. It wis him Maister Turnbull that made iz . . . Ah didn't know anything about arithmetic when ah went tae Kirkton, so he says, 'I'll learn you.' So it wis subtraction. 'Well,' he says, 'come in and sit down.' And he said, 'D'ye see these four window panes?' Ah said, 'Yes.' 'Well, take two away. How many's left?' Ah said, 'Two.' And that's the way ah learned subtraction. Ah did enjoy it. Then he used tae read a story in the afternoon, the maister. Everyone o' us used tae go and listen tae him. So ah liked Kirkton School and got on well there.

We used tae play at rounders jist at leavie time in the playground. At night efter school, well, we used tae play maybe hide and seek and lots o' games, ye ken, with the ball, and skipping and things like that. There were plenty o' other children tae play wi'. Oh, a lot o' the farm workers had young families. They used tae come. Oh, ma mother used tae have a bit job gettin' oo in at night.

Ah had two brothers and two sisters. Ah'm the oldest. Oh, ma sister Jenny came after me. She would be three or four years younger. And then, whae wis't? Oh, Joe. He would be five years younger than me. And then after Joe came Adam, that wis seven years younger than me. And the youngest wis Rachel, nine years younger than me. Some o' the other families were bigger, maybe nine, ten, a dozen children. And sometimes there were twenty years between the oldest and the youngest. The oldest were married and away from home by the time the youngest were born. But oo had a smaller family than some o' them.

Ee had tae walk tae school in these days, a good walk it was. They used tae come frae the far and near. Some o' the children walked from Cavers, oh, that would be two miles and two miles back. And some o' them were jist five year old. It wis a long way. Ah'd a long way tae go, too. Oo lived at Kirkton Farm, jist on the Bonchester side. There were no Kirkton village, jist Kirkton School. Oo were maybe a mile from the school. Ah didnae go home for ma dinner. Ah took a piece and a bottle o' milk. There were no school dinners then. Some schools provided soup in the winter and some schools they yaised tae provide cocoa and things, but no' at Kirkton. It would depend on the teachers, ee see, and there were only the two, ee see. So ah carried ma own piece and bottle o' milk.

Ee ken, ee never thowght naething aboot it. It wis a' ye were accustomed tae.

Ah would be nine when the First World War came. Ah dinnae remember very much aboot it but ah remember the soldiers used tae go by Kirkton, they used tae go by in regiments by Kirkton. Kirkton wisnae far from Stobs camp. And the soldiers used tae get their flasks filled with water from ma mother's house. And ah've heard them singin' *It's a long way to Tipperaray*, jist young lads, what a shame. Some o' them never came back. Well, there were one local lad, John Hay, he went to the war. He wasnae eighteen, he wis only seventeen. He volunteered, that wis quite early in the war. And he never came back. He wis the son o' a farm worker.[22] Oh, terrible, jist young lads. And, ee ken, ah think a lot o' them went away and they didnae ken what they were gaun for. They thought the war'd be over by Christmas, oh, they did.

Ma father left Kirkton farm and oo were at The Chapel. That wis a farm near Moffat. Ma father wis the dairyman there. But he didnae stay long because the farmer, after the machine had done a' the work, he always used tae go and strip the cows. Well, ma father didnae like that. So, oh, they had a row and he left. He wid only be there at The Chapel twae or three weeks. And he had tae leave, I think, within a day. And so he went tae get work and he got work in the woods. We lived then in Moffat. Oh, we were jist about six month there, and then ma father moved tae Over Garrel. That's a wee bit oot o' Moffat.

When we were at The Chapel and Over Garrel ah wis at Moffat Academy, that was the high school. Ah liked the school. And arithmetic wis still ma favourite subject. Ah wis there for about a year. Then when oo left Over Garrel we went tae Yetholm. When they kent oo were gaun tae Yetholm – 'Oh, ye'll see the gypsies there.'[23] Ma father got a job as dairyman at Yetholm Mains, right on the Border. It's the last farm in Scotland, ah think: a road frae the Border Hotel in Yetholm takes ee away down tae Yetholm Mains.

Ah left school at Yetholm. Ah wouldnae be very long at the

school there when ah left. Some o' the girls in ma class jist went tae service. That wis common. Ah know one, she went tae Edinbury, and, oh, she wis homesick. And she'd tae get up at five o'clock in the mornin', she told me, and black leid the range and have the breakfast ready at eight and make the porridge and then have ham and egg, ken, a' ready for their breakfast. And, oh, she couldnae sleep at night, jist home-sickness. But she stuck it and she wis there for seven years at the finish. Oh, long hours, and she wis supposed to go to church on the Sunday. She got a day off every fortnight. Ah can remember her tellin' me – she wrote a letter and told me all about it. She didnae get very much money. But ah would have went to service, oh, ah wid.

As a girl, well, ah'll tell ee what ah wanted tae be – a nurse. Ah like-ed, ee ken, ah like-ed tae look after children. Ah had younger brothers and sisters, that wis it. Ah had tae keep an eye on them. So as far back as ah can remember ah wanted tae be a nurse. When ah left school – that wis when ah wis fourteen – ah could have stayed on but, well, ma father work-ed in the dairy and ma mother used tae help him. It wis never discussed that ah could maybe go to the High School. So ah thought ah wid jist leave at fourteen tae help ma mother wi' the other children. It wis jist expected ah would leave when ah wis fourteen. Well, ah wis disappointed in a way that ah wis jist at home lookin' efter the other children. That wis fairly common among girls in these days, the older girls stayed at home when they left school and helped their mothers. And, ee ken, it wis jist ye left school at fourteen. It wis jist like that. When ye came fourteen ye left.

Ah wid have went tae be a nurse, because ah could have seen this Miss Dickie they ca'ed her. She wis the local nurse, a district nurse. She said, 'Ah'll see you when you're eighteen.' But that's what happened. Well, ah was disappointed in a way. But, oh, ah soon got over it. So ah worked in the house helpin' ma mother for three years.

Then ma father died in 1922. Ma mother didnae have any money comin' in. Ah wis the only one o' workin' age. Ma mother discussed it wi' me. She said that ah'd ha' tae dae something. So ah decided tae work out in the fields as a bondager. It wis my idea. Mr Roberton, the farmer at Yetholm Mains, he came after ma father died and he said what wid ah like tae dae? And ah said ah wid like tae work on the farm. Ee ken, there were nobody else – no woman worker, jist maself. And he said that wid be a' right. Ma mother wis livin' in a tied farm cottage, so if ah didnae work or she didnae work on the farm she would lose the house as well. Oh, Mr Roberton wis quite understandin' and sympathetic. He said that she could stay. He didnae want her tae leave for a' what ma father had done on the farm. Ma father wis a good worker. And ma mother had milk-ed the cows at Yetholm Mains. So ah started tae work. And, ee ken, when ah wis seventeen ah wis what ee call a halflin, a half worker. That's what they called them till ee got more experienced. Maist girls startin' on the farms would start straight frae school, but ah wis seventeen.

Well, when ah started work ah went out tae single. Mr Roberton wid have three fields o' turnips when ah first began singlin'. It wis quite a lot. He had quite a lot o' sheep, a big herd. And Jim Turner wis the steward and sent me tae single maself. The band wis further back in the field. And ah'd never singled before. And he showed me how tae single. So it wis awfy . . . ee ken, when ah'd been a long time singlin' ah could hardly take ma hands off the how! But, oh, ah got on no' sae bad. And so Jim Turner the steward came ower this day and he says, 'Oh, aye, ye're no' daein' bad.' Ah says, 'It's awfy tedisome, that's the only thing.' Ee ken, there were naebody tae speak tae either. He'd put me on ma own because ah couldnae follow the band. Ah wis slower as a beginner. Oh, ah'd never keep up wi' them. So ah got on no' sae bad. Well, all the time o' the singlin' ah wis maself. And then we got on tae the hay. Singlin' wis the end o' May, and 'twould be the end o' June when we started the hay.

When ah first began at Yetholm Mains in 1922 there would be eight workers. Mr Roberton, the farmer, didnae work himself. He wid give the steward, Jim Turner, the plans and things at night, for he had tae go up tae the big house at night like, the steward. The steward directed the workers. Ah got on well wi' the steward, he wis quite a nice fellow. He understood the circumstances ah wis in at home.

There were a shepherd and three ploughmen and a cattleman. And there were a pig man. It wis very unusual to have a pig man. They had a lot o' pigs at Yetholm Mains. Mr Roberton used tae breed them. But there werena many pigmen, ah dinnae suppose there were ony roond aboot. So Yetholm Mains wis a special kind o' farm, wi' so many pigs at that time. There were an orra man, Wullie Kerr, ee ken, an auld . . . He wid be, oh, gettin' on for sixty. And he wis aye guid wi' iz. Ah wis the only woman or girl worker. Oh, ah got on a' right wi' the men.

All these workers lived in cottages on the farm, none o' them lived in the village itself. So we all knew each other, living beside each other. It wis quite a friendly place tae live. Ma mother got on well with the neighbours, oh, quite nice.

When ah first began work fifteen shillings ah got. Ah thoaght it wis good. Ah gave all ma wages tae ma mother in the wee broon pay packet. She give iz five shillings and then later on she give us ten. That wis a lot o' money. Ah got five tae begin wi' and it would be maybe a year or something later that ah got the ten. Well, ma mother wis workin' an' a', ee see. She wis workin' part-time in the dairy. So that would give her a wee bit of money. Of course, there were six o' us at home – five children and ma mother. Things werenae easy for her. Well, ee ken, ma father, well, he got a good wage. And, well, she'd saved a bit, she'd saved a bit. But it wis a struggle for ma mother when ma father died. It wid be a month or twae or he died, and that wis a blow. Ma youngest sister Rachel wis only eight.

Ah, well, wi' ma five shillings oo used tae gaun tae the pictures in Kelso, twae or three o' oo. Well, oo had tae walk frae Yetholm Mains tae Kirk Yetholm village. And Wullie Whitley used tae have a bus. And he used tae take oo tae Kelsae. The pictures wis the Playhouse. It's no' there now. Oo went there on a Saturday and oo got the bus back. Oo would spend maybe tuppence or thruppence on the bus. And, oh, it would maybe be fower or fivepence tae get in the pictures. It wisnae awfy dear. And then oo got a fish supper. And ah had a wee bit o' money left. Oh, ah jist kept it. So ah wis able tae save a bit. Ah wasnae a smoker. Oh, ah could eat sweeties, but ah didnae spend much on that. So ah wis able tae save maybe two or three shillings every week.

When ah first started work at Yetholm Mains ah started at six o'clock in the morning and oo worked on till eleven. Then oo had two hours for dinner and started at one. Oo worked on then till five. In the mornin' oo got a break for breakfast. Oo started at six and we got oor breakfast in the fields at half past seven. We didnae come back tae the steading for it. Ah took a piece wi' me – two slices o' bread – and a wee tin tea bottle wi' tea. Well, ah've seen us havin' cheese. One piece wi' cheese and butter and the other wi' jam. And there were one day ah thought ah wid take a change and put potted meat on it. And here ma tea bottle had been too hot, ee see, and it had been agin the bread. And it melted the potted meat! So it wis a kind o' gravy ah got! So ah didnae dae that again.

We used tae gin oot later on tae the fields at Helterburn, on the Bowmont Water. That wis the other farm that R.A. Roberton had. Ee ken, there used tae be a field they ca'ed Sterve the Devil, a hay field. And oo had tae dae it. And they used tae come wi' thir bogies and take the hay home tae Yetholm Mains from Helterburn. There were no singlin' or onything there at Helterburn, ee ken, it wis a hill farm for shepherds. It wis jist the sheep and a bit hay maybe. So when ah wis wi' Mr Roberton ah worked at either farm. Helterburn wis a good bit further away from the house at Yetholm Mains. So ah didnae get home for ma dinner when ah wis up at Halterburn. Ah jist had tae take two pieces, breakfast and dinner. It wis a long day when ee didnae get home for dinner but ee got used tae it. And ah wisnae up at Helterburn every day, jaist in the summertime, jist for the hay really, that wis all. The rest o' the work at Helterburn wis for the shepherd.

Ah did enjoy the work on the farm. Ah like-ed the threshin'. The harvest wis the height o' the year on the farm.

Yetholm Mains wis, oh, a big farm but ah couldna tell ee

how mony acres, ah couldna tell ee. It wis a hill farm, ee ken, hilly fields. When ah first went ah had awfy sore legs climbin' the hills, ee ken, till ah got used tae it. As well as sore hands – sore everythin'! Ma muscles took a wee while tae harden. It wis quite hard work.

When ah first began there wis yin job, well, d'ye ken, ah'll tell ee ah didnae like doin': liftin' potatoes. There were three acres. No, ah jist didnae like the potato liftin' They were liftin' in a dreel. There were no potato machine, jist the dreel. You lifted them wi' your hands. Well, oh, they digg-ed them wi' the ploo – the plough, ee ken, dreels. Later on the usual thing wis the tattie digger, but no' then, it wisn't there then. The plough it had like a feather spread. It wisnae an ordinary plough, it would be a potato plough likely. It had like a feather spread oot, ee ken. That went under the dreel and lifted the tatties. And then oo came along and lifted them by hand. Oo got stents, ee ken. Ee were always hopin' the horse would take longer tae come roond! Sometimes the ploogh broke doon, ee ken. Ee'd be grateful for sma' mercies!

The singlin', oh well, when ah first began it was an awfy dreary sort o' job. But, when, say, the next year with the band, ee ken, ah got tae like it, aye, ah rither like-ed it. There wis a bit o' chaffin' in the band as oo were goin' up and doon. The orra man, this Wullie Kerr, he led the band. Well, ah think it would be because he did a lot o' odd work and he could single fast. And the rest o' iz had tae keep up wi' him. Oh, they widnae have put me in the lead: I wis too slow. Ah had tae keep up. It wis quite hard for me in ma second year tae keep up. But, oh, ah managed it. Ah wis chaffed a bit about keepin' up. Oh, ah like-ed it. The steward used tae single an' a'.

Well, as ah said, ah started on the singlin' then the hay. After that came the harvest. Ah did like the harvest. Well, ee ken, they opened up the field wi' a scythe, for tae let the binder in. And then they went round the field, the man with the scythe. And we lifted it and made the sheaf and put it against the hedge so as the horse could go with the binder. Ah tied the sheaves. Ye had tae make a band. Ah lifted, ah put the band down, and lifted when the man wis scythin' And if there were nobody there for tae tie the sheaves he would tie them after he wis finished wi' the scythe. But there were usually a man there for tae bind them and put them agin the hedge.

The binder wis pulled by two horses but sometimes it wis pulled by three. It wis a hilly farm so ee'd need the extra horse. The binder wis a heavy weight, it wis a heavy job. Ah never sat on the binder. That wis a man's job. One of the ploughmen drove the horse. Oh, it wis never a job for a woman tae do, never, never.

There were some jobs that were for women only and some jobs that were for men only. But, well, ee ken, if ee could dae't ee got it tae dae. But no' ploughin' – that wis oot the question, because ee couldnae. Well, even turnin' it at the end o' the dreel the plough would be too heavy a job for women. It wisnae because the ploughmen were tryin' tae defend their jobs. Oh, it wis too heavy a job. Ah jist rolled with the horse and ah used tae cart turnips tae the sheep. Ah wisnae allowed tae dae any harrowin' either. It widnae dae. Ye see, the two horses – ah could only manage one onyway. Ah could never manage two.

Oh, the harvest work wis grand. You used tae fork. Well, once the binder began workin' ma job wis stookin'. Oh, ah like-ed that. And that wis eight sheaves in a stook, four on each side. Oh, we had gloves on so the thistles werenae too bad. It wis grand work. When the weather wis good it wis ideal.

They used tae get three or fower workers, jist men, in frae Yetholm for the harvest. Oh, the men were jist maybe in their forties, they did odd jobs. Oh, the rest o' the year they wid be workin, some o' them onyway. Some o' them used tae gaun away maybe tae Langholm and work there on farms, jist sort o' odd job men. They moved around, jist here and there. And there were a gamekeeper, he came out at the harvest. He used tae come at the finishin' tae get the rabbits: that wis an excitin' time.

So ah helped wi' the stookin' and then forked the stooks on tae the cart, and then from the cart on tae the stacks. That wis quite heavy work for a girl but ah enjoyed it.

Then the thrashin' mill came in. The farmer didnae have his own thrashin' mill. They ca'ed the thrashin' mill man Ralph Dummey o' Jedburgh. He went round a lot o' the farms. He had a steam engine that wis hitched tae the thrashin' mill – the reek!

Well, he came in, oh, 'twid be after the harvest, oh, maybe in the month o' November. And then he had tae come in again in the springtime for the seed and a' that. There wis spring threshin' tae, for the seed. Some o' the threshin' wis left over till the spring, and then that seed wis used for the sowin'. Mr Roberton used his own seed at that time.

After the harvest wis in it wis the potatoes. There would be jist the one field o' potatoes, he didnae have an awful lot o' potatoes. Then after the potatoes, oh, it wis shawin' yellow turnips. Oh, ah like-ed that. It wis cold but, oh, well, oo had gloves on. Oo jist had pawkies, which wis better. Oh, they did get wet. But, ee ken, your hand it wis warm by then wi' pullin' the shaws. Oh, it wis sore on the back, ee ken, like the tatties, and awfy cold in the mornins. Ee ken, ah've seen the turnips, ee ken, jist fair rime on them. And it wis cold but ee jist had tae carry on. Ee din that for a whole day – for weeks even. For, ee see, they had tae feed the sheep, and had pits for the turnips for the spring time for tae keep them for the sheep. Mr Roberton had three fields o' turnips. Ah've seen him havin' a 46–acre field – a big field for singlin' and shawin'. But oh, ah like-ed the shawin'.

The yellows wis quicker. They were shawin' in October. But the suedes in November, they were later. Well, the yellow wis a softer turnip and the suede wis a harder one and, oh, it was better tasted an' a'. It wis a good turnip the suede. It wis a big crop o' turnips and, ee ken, at Helterburn an' a'

After the shawin' o' the turnips it would be leadin' them in and a' that – makin' the pits. That wis quite a big job, fillin' the cairts.

And then efter the turnips it wis the ploughin' and sowin'. At Yetholm Mains, of course, ah didnae dae nae ploughin' and ah never din the harrowin'. But yince the seed wis in ah did the rollin'. There used tae be the machine sowin' and the harrows goin' and the roller. And that wis the field finished. But ah never sowed the corn either. That wis a man's job. Ah've seen – if the coulters wisnae runnin' very well – there used tae be a flat board along the sowin' machine and ye used tae stand on it and watch and see if they were runnin' a' right. They might get blocked, that wis the only thing.

So that wis the work on the farm. And then ee were back tae the singlin' and the hay a' ower again. Every year, it wis jist the same. That wis one thing aboot it: ee changed jobs. Ye werenae lang on the yin job. The shawin' wis the longest job. That went on several weeks. The other work wis maybe two or three weeks.

The second year ah wis workin' at Yetholm Mains, well, ah used tae have tae go on tae the stack and throw the sheaves tae the man that wis stackin'. That wis a different job, ah didnae dae that the first year. Ah like-ed daein' that work. 'Twisnae a bad job, ye had a fork, ee ken. And by then ma muscles were hardenin'. Ma hands, oh, there used tae be blushes, blushes on them – blisters. Oh, they were sore.

Mr Roberton grew the potatoes for the workers. Oo used tae get a ton, and it was those barn bags – sixteen stone bags. They were put intae oor garden for a tattie pit. And everyone got twenty bags, a ton o' potatoes a year. That wis part o' oor wages. And 'twis Kerr's Pink tatties.

Ma mother got free milk as part o' her wages: twae pints a day she got. Ah've seen oo got coal. Ma mother got a ton o' coal in the year from Mr Roberton as part of her wage, but no' firewood. Well, ah've seen oo gettin' firewid oot the wid. There used tae be a wood no' far off and we used tae get some there and saw them up. Oo jist carried them oorsels, oo used tae jist carry them, oh, in oor own time. Ah remember seein' Roberton, Maister Roberton, and ah wis in the wood at the time. He says, 'Ah don't mind ee gettin' any wood,' he said, 'as long as ye don't disturb the burds.' 'Oh,' ah says, 'ah'll no' come when the burds is nestin'.' He said that wis a' right.

And oo had a garden. It wis jeest an ordinary size garden. When ma father died ma brother Joe look-ed after the garden. He wis old enough tae dig. And ah used tae help him tae plant the cabbage and dae the potatoes. Oo used tae grow peas, cabbages. No kail, Brussels sprouts, beans, turnips – ah dinnae think ma mother bothered daein' ony o' thae. But efter a while she did. Oo were able tae take turnips frae the farm. Ah've seen iz shawin' a yin and bringin' it home. Ee couldnae get it ony nearer as that, nice and fresh. Oh, Mr Roberton had no objection tae that. Oh, he wis a nice man, he was.

We used to get a three-course dinner at eleven o'clock every day: soup and potatoes or stovies and a puddin'. Well, ah've seen oo gettin' broth, tattie soup, or rice soup or lentil soup, and kail, well, broth kail. Then meat and potatoes and a milk pudding or ah've seen her steamin' a roly-poly, ee ken – oh, it wis nice on a cold winter's day. Of course, ma mother had plenty milk, so it wis easy tae make milk puddins. At teatime, well, ah've seen ma mother hevin' ham and egg for oo, or fried ingans and ham. That wis tasty on a cold day.

Oo kept the one pig. Ma mother and father always had a pig. So oo always had plenty bacon and ham and pork hingin' up on the ceilin'. The shepherd at Yetholm Mains killed the pig for iz. That wis the usual, the shepherd killed the pig for folk. Oo had oor ain sty. The pig wis killed maybe, ken, when it wis gettin' big, oh, maybe we'd had it for nine month. And then ee kept the blood, well, ee could make black puddins. Ee could put it intae a pie dish and it would set and ee put it in the oven. And it wis lovely. Black puddin' wis the main use for the blood. And potted meat – ee made potted meat wi' the head. And, well, ee filled the puddins wi' oatmeal. And there wis the haggis, ma mother made haggis. Ee could use everything about a pig. The trotters, ee could yaise them an' a', and spare ribs. And there were the cheeks and, oh, they were grand. They were fine and tender when they were fried. That wis a delicacy.

Oo never kept hens. But, oh, if they had a place farm workers they wid keep them. And ma mother never had her ain cow.

Then at Christmas time the farmer, Mr Roberton, came round and gave the workers a bit o' sheep. A quarter o' a sheep ee got. That wis guid. He did that every Christmas. Other farmers they yaised tae give maybe shortbread or something like that, but at Yetholm Mains we got a quarter o' a sheep. Oo used tae have a bit for oor Christmas dinner

When ah started work at Yetholm Mains ah had tae wear bondager's clothing. Well, it wis a drugget skirt, one and half yards o' drugget. And ee had tae, well, put in a box pleat here and there, and braid round the bottom for tae keep it from wearing. And maybe a braid round the middle. And the hat, well, it had a ruche round aboot, a red ruche. And ee lined it with cotton, pink or blue or what ee liked. Ee lined it, and then ee put braid round the brim. And after that ee wore a headsquare and the heidsquare wis used tae tie under your chin tae keep the hat on or it would jist fall off.

Ee made the bondager's hat yourself. Ee bought the hat, ee ken, the straw hat, and the ruche ee got it and the drugget. Ee made it all yourself. There wisnae a shop in Kirk Yetholm that would sell clothing like that. There were a shop in Kelso did and they ca'ed him John Anderson. He had everything. So if ee could afford it ee could gaun tae Kelsae and buy everything. Ah bowght the skirt, the drugget and the hat and the ruche and the cotton.

Ee wore boots, lacin' boots. They would jist be about tae the top o' your ankles. And ah had a coat, a little cotton coat ee wore. And if it wis awfa cold weather ee had a . . . ah've seen a man's coat ee got maybe, jist an auld overcoat, somethin like that.

And ee had tae have a belt, a leather belt, ee ken, because when ye were liftin', heavy liftin' . . . There used tae be what ye call sixteen stone bags o' barley. And if ee had tae – ee had a stick – and the man would help ee. And if ee lifted thegether it wis no trouble. But if ee got somebody that didna lift it with ee it wis an awfy job. The bag would gaun ower. Oh, ah never lifted sixteen stone bags at Yetholm Mains, oh, no, ah never got that done. No, they widnae let iz dae't because ah wis only seven stone maself then. Ah wasnae very tall! Ah couldn't tell ee what height I am, ah couldnae tell ee. Ah'm no' tall. Ah'll maybe be five feet two or three or something.

But ah wis quite a slim young girl. They thought when ah went tae work ah wis too light for workin', for heavy work. But the steward said, 'Oo'll see how ee turn oot.' So he said ah wis a' right. He said ah wis wiry.

Ah remember the Scottish Farm Servants' Union but ah never joined the union. And ah don't think any o' the other workers on the farm at Yetholm Mains were in the union. Naebody come roond tae ask iz tae join the union. The other workers never talked aboot the union.

Well, ah worked at Yetholm Mains for six years. Ah was quite experienced as a worker by the end o' the six years. Ah was 23 by then. Oh, ah always enjoyed the work there. Then, well, Mr Roberton, the farmer, wanted to take over a hind. That wis ma brother Joe, ee see. He had been workin' at Yetholm Mains since he left school, so he had been workin' six years as well roughly. He wis jist a halflin, an odd laddie, tae start wi' then he became a ploughman. Joe wis the youngest ploughman and the maist recent so Mr Roberton decided tae pay him off. Well, they knew there were a vacancy at Ormiston farm, near Eckford. So Mr Roberton phoned Collie Smith, the farmer at Ormiston, and they said that they would come and see Joe at Yetholm Mains and see what he wis like, ye ken, and things. But they didnae want me because there were nae vacancy at Ormiston. There were three or fower weemen at Ormiston workin'. So Joe got the job at Ormiston. Then the farmer offered me a job, because the steward wis in hospital at the time and they needed an extra worker. So ah got a job efter a' at Ormiston. And when the steward – they ca'ed him Jack Leslie – came back frae hospital ah wis kept on. So ah wis 23 and that would be 1929 when ah went there.

And ma mother got a job there, tae. She milk-ed the cows, and she used tae do the washins, and she din the hens and she din for the Irishmen. They had tae have six Irishmen at the harvestin' at Ormiston and she used tae feed them. There were never Irishmen at Yetholm Mains. They jist got the men frae Yetholm, three or fower, it jist depended. But never Irishmen. But they did at Ormiston – six. Ee see, Yetholm

Mains wis close tae the village, but Ormiston wis a different place, ee see.

Ormiston wis a guid sized farm, but it wouldnae be as big as Yetholm Mains. There were twelve workers anyway at Ormiston when ah went there. That wis mair than at Yetholm Mains because there wis mair arable at Ormiston. There were four ploughmen at Ormiston. Ma brother Joe wis one o' them. And there wis an odd pair o' horses and two orra men. There wis a shepherd, there were a cattleman, and the steward – but no pig man!

And there were four bondagers. Ye ken, there were a lot o' bondagers then. A lot o' farms had them. Ah've seen them on neebourin farms jist about the same as at Ormiston. There werenae many bondagers aroond Yetholm. Ah wis one o' the few there. Ye see, at Yetholm Mains the village wis ower near hand. There were Town Yetholm and Kirk Yetholm but there were nae bondagers there. Ah cannae remember any other bondagers roond aboot Yetholm. But at Ormiston ah can. And there were Grahamslaw, near Ormiston. Well, there wis three bondagers worked at Grahamslaw. And there were Mosstooer, but ah think there were jist one there. But roond aboot Ormiston there were farms wi' more bondagers than ever ah saw at Yetholm.

The Irishmen at Ormiston they came in the harvest time – six o' them. The same six came every year. Whiles they used tae bring an extra one maybe and, well, he had tae get intae the way o' things. So there were one day the steward says tae this extra one – and he'd only be, ee ken, sixteen or seventeen, jist a young lad – 'Pull up your slack.' Ee ken, the steward meant he wasnae keepin' up wi' the stookin'. And the Irishman pulled his breeks up. And oo had a guid laugh. And he wasna amused. He'd feel he wis bein' made a fool o'.

There were nane o' the six Irishmen related. Donegal they came frae. Oh, they knew each other. They came maybe frae the same part o' Donegal. It wis the same half dozen that came every year tae Ormiston. They came jist the hervest time, maybe the beginning o' August, jist when oo sterted the hervest. Well, ah've seen the hervest three weeks and three days, and sometimes it used tae be a month. So it wis really jist the month o' August the Irishmen were there. They didnae stay on for the potatoes. They had tae gaun hame again. This Donnie they ca'ed him, he had a farm in Donegal. But ah think his brother wis lookin' after it the time he wis ower here. Donnie wis the leader. They had tae dae what they were telt wi' him. There wis quite a strong discipline among the Irishmen. The steward spoke tae Donnie and Donnie spoke tae them. They all spoke English. But they spoke Irish among themselves and ee never kent what they were sayin'. If they were hevin' a row or onything, oh, ee couldnae tell a word they were sayin'. But they never had fights among themselves, no way. They were quite decent fellaes. Ah cannae remember any other names o' the Irishmen.

They were quite friendly. They lived in a bit o' the granary. And, oh, they used tae sing, ee ken. Oh, they used tae whiles invite us along, all the other workers. Oo used tae gaun along and, ee ken, it wis a great night, ee ken, thame singin' and there were dancin'. Oh the dancin' wis mixed – Irish dances, eightsome reels, barn dances, that kind o' thing. Oh, the Irishmen like-ed tae come tae Ormiston. They fitted in quite well. Oo got on quite well wi' them. None o' them stayed on or married local girls. They all went back and they came every year.

The Irishmen at Ormiston were a' Catholics. They went to chapel on the Sunday a' dressed wi' their navy blue suits and white shirts. They were very smart. The chapel wis in Kelso. It'd be aboot six miles tae Kelsae. Oh, they went by bus, it wis too far tae walk. And they went tae Kelsae on a Saturday night. It'd likely be the pub. But they werenae thae kind that got drunk. They were never the worse o' drink. They were quiet men.

The Irishmen look-ed after themselves. Of course, the steward used tae have a look tae see how they were gettin' on. Maybe once a week he'd look in. Ma mother used tae get stuff frae the big house for them. They got their porridge in the mornin'. She made the porridge for them, she cook-ed them in her own house. And, ee ken, they had tae get their breakfast in the mornin'. Oo were in the fields at six o'clock. So the cart had tae go out with the porridge and give them their breakfast in the field. When oo were eating oor piece they were eating their porridge. They had it in a kind o' . . . jist a long kind o' flat plate. It wis a great big . . . jist like an ashet. And they dished it out intae plates, ee ken. The big flat plate had a lid tae keep the porridge hot. The Irishmen seemed tae enjoy it and there were plenty milk

Harvest hours wis from six tae nine in the mornin'. Then oo got oor breakfast. Oo got an hour for oor breakfast, whereas usually oo got whiles twenty minutes. Then oo worked from ten tae twelve. Oo got oor dinner at twelve in the field, oo didnae go back home in the harvest for dinner. Oo kept workin' away. And we started at one o'clock again tae six. And that wis our day, that wis the hours in harvest. If we were forkin' it wis tae eight o'clock, but no' if we were stookin': oo finished then at six. It wis a long day, six in the mornin' tae eight at night. And ee didnae come home at all if ee wis workin' on till eight at night. The carts used tae come oot wi' food, refreshments, for iz. The farmer didnae provide the food, it wis ma mother. She put it on the cart for iz.

There were hirings when ah wis at Ormiston but ah never went. Kelso wis the first Mairch hirings, and then Earlston. Oh, ah've seen't in Kelso in the middle o' March. It jist depended how it came roond. It wis held in Kelso Square in the open. I used tae go and, ee ken, jist watch them. That wis when ah wis at Ormiston. Oo got the day off, even if ye werenae lookin' for a job yourself. Ee did, it wis a general holiday. Some people didnae get the day off unless they were lookin' for a job, but oo did. So that wis oor day's holiday.

Ah can mind a woman she wis gettin' hired at the Kelso hirings and the farmer wis Turnbull o' Lempitlaw, a big farm. And, oh, she'd asked for an awfy big wage. And Turnbull he says tae her, 'It wid take a' that tae pit your een right.' 'Ah, bit,' she says, 'it wid take a lot mair,' she says, 'tae put that nose o' yours right.' That wis the spirit o' the hirins! She meant that tae make his nose as red as it wis he took a lot o' drink. It gave him a rid nose, ee see. Oh, some o' the farm workers gave cheek tae the farmers. They had tae, they had tae speak. Some were feared but others werenae. But ah never went tae a hiring fair tae be hired, ah jist went for the day out.

The farm workers used tae stand roond in the Square at Kelsae and, ee ken, there wid be farmers come in and they wid ask them, 'Are ee tae hire?', ee ken. The farmer asked the worker, the worker didnae ask the farmer. The workers had tae stand and wait till they were approached. Oh, sometimes they didnae get a place. It must have been an awfy experience that. Oh, there wid be a lot o' farm workers standin'. There were a crowd, oh, there widnae be more than a hundred, oh, maybe between fifty and a hundred, quite a lot. Oh, there would be bondagers an' a', at that time. If the weather wis bad they could gang intae the Corn Exchange. But usually the hirings wis held out in the open. The workers didnae wear a badge or a flower or onything in their lapels or their hats, no' that ah ken o'. Ah think the farmers they jist came and said, 'Are ee on hire?' And ee'd jist be hired or . . . And maybe if the wage didnae suit, well, they didnae gaun. Jist like that. Once there wis an agreement it wis settled wi' a half crown – the arles. The farmer gave ye half a crown, that wis the agreement. That wis sealed. Ah never mind o' hearin' about anybody that broke the agreement. There could have been though, mind.

Well, ah remained at Ormiston thirteen years. Ah left tae get married. Ah married in 1941. Ah wis 36 when ah got married. Ma husband wis the steward at Kersmains. He wis a local man, he wis born at Nisbet.

When ah got married ah gave up ma job. That wis usual in these days. They used tae come for me for tae go tae thrashins and ah used tae go – odd jobs like that. But ah wis a housewife and wis in the house other times. Oh, it wis a change for me gettin' married. Ah had been workin' for aboot twenty years as a bondager. Well, ah did feel a bit restless about givin' up the field work. But there were some used tae come and ask iz if ah would single a bit for them. And that help-ed iz. Oh, it wisnae easy at first jist tae be a housewife! But ah never worked full time again on the farms.

When ah started at Yetholm Mains it wis fifteen shillings. By the time ah finished at Ormiston ah think ah got twenty-four shillings. No' much, eh? And it wis hard work. But ah enjoyed it, ah did. Ah've no regrets about no' becomin' a nurse, no regrets. Ah did feel frustrated at the time but no' afterwards. Ah enjoyed the work on the farms and ah've no regrets.

Annie Guthrie

Ma father wis always a farm worker. He worked on the farm, and he volunteered near the beginning o' the war and he wis in the army for two years. He wis on the road to the Dardanelles, turned ill, and they brought him home. So that wis the finish, and he never wis right after. But he still worked on the farm. And he always had to move, we were always movin' from one place to another. And that's the reason ah went as a bondager, tae try and help. Well, ah usually kept the job either two or three years, whereas it wis every year he had tae move. And when ah started tae work it helped tae keep him a little longer at places, you see.

Ma father wis born about 1884. Ah would imagine he was a Roxburghshire man, because he wis at places all round the Morebattle and Yetholm area as a young man. Ah've often heard him speak about Skaithmuir, that's in Berwickshire, near Coldstream, he worked there. And he worked at Primside, near Yetholm, and Spylaw at Kelso. He wis a ploughman and that's the work he did after he came back from the army, as far as he could. But he suffered from these bouts o' ill health. He had no difficulty gettin' a job, because they always said, well, he wis a very good worker. He could do everything – an all-round man: stack, and do every kind of work on the farm. But his health let him down: asthma.

He hadnae suffered from that before he joined the army. He wis in the K.O.S.B.s. But he fell ill when the regiment wis on its way to the Dardanelles. He suffered from asthma all the rest o' his life. He wisnae invalided out. He should ha' got a pension, but he didnae. And that wis it. Well, there wis a terrible slaughter at the Dardanelles and he wouldnae have been here possibly if it hadnae been for the asthma.[24]

Bondagers

Ah wis born at Angelraw. That wis a farm place in Greenlaw district. Ah wis born on the 26th o' the fifth month 1911. Ah'm the only child. Ah wis three year old when ma father went to the army. Ah can remember him comin' home and shoutin' ma mother's name, and ah had been on the road and ah turned round and ah seen him comin' and ah run down the road tae meet him. And ah can remember that, but that's the only thing.

Ah don't remember ma grandfather Robertson, ma father's father. He must have been a farm worker, oh, it wis jist the Borders. They were round the Borders. He wis dead when I wis young. But ma granny Robertson wis livin' and lived with her other son at Spylaw. He was also a ploughman. Granny Robertson wis alive until ah wis about nine year old. Oh, she must have been in her seventies when she died. Ah jist couldn't say what she had done for a living before her marriage. Well, you see, it wasn't discussed very much. But ah think she would be on the farms as well, because she wis a Heatlie and the Heatlies in the Kelso area were all farm workers. Ah'll be honest, ah couldn't say, because, ah mean, we were always away from them at Spylaw so far and there were no way of travellin' and ah never seen very much of ma granny Robertson.

Ma mother she wis a bondager. Oh, ah think she wis jist about thirteen when she started as a bondager – straight from school into farm work. And she worked at the Venchen farm at Yetholm. Oh, she used tae often speak about her work on the farm. Well, ma grandfather – her father – was livin' then and she used tae talk about havin' taken his what they called gruel up. They had a cow and before she went tae school she had tae take his gruel up tae the steadin' for him tae have there. He worked at the Venchen, too. So they had lived there for quite a number o' years.

Ah don't remember ma mother saying anything about the hiring markets or anything. But, ah mean, ah think they had quite a hard life, you know. Well, they had the cow and that, but they hadn't a very great livin'. The women got very little, ah mean, jist a few shillings. It wis heavy work for women, a very hard life for them. And, oh, there wis nothing of ma mother, she wis very small. She wis always light made. And she worked at that until she got married. But as soon as she got married she gave it up.

Oh, well, ma grandfather – ma mother's father – he lived around there at the Venchen. Ah mean, ah don't know where he actually came from. But ma granny she wis a Blythe, one o' the gypsy Blythes from Yetholm. Ah think she worked as a young woman, you know, jist did work in houses and suchlike. I'm quite sure she had done that, as well as ah can remember. Oh, ah remember her. Ah knew her better than any' o them.

Well, ah never heard ma granny talk about the gypsy connection, but ma mother often used tae talk about it. You know, ma granny came from the gypsy side but ah don't think she had ever lived in a gypsy caravan, ah don't think sae. But her brother when he died he left money tae put a big glass window in the church at Yetholm. It's still there. And Blythe's the name that's on it like. I've no idea about ma great-grandparents on ma mother's side. I've no idea, ah cannae go as far back as that. Well, if they were alive, ye see, we couldnae travel to see them and that wis jist it.

Ma earliest memories were one o' the Crailins – Crailin' Tofts or Crailin'hall – it was one o' the Crailins. Ma mother had a rented house there when ma father wis away in the army. And in the harvest she had tae work for tae pay the rent for the house. The house had two bedrooms, a kitchen and two bedrooms. It wis quite a fair big house, as far as ah remember. There were no toilets or anything. They were always outside and it wis a dry toilet, down the garden. There were a cold water tap in the house, as well as ah remember. Of course, ah wis jist a wee girl, only five or six. But that's the first house ah remember, at Crailing.

Well, ye see, in these days ye had the fire in the living room and there were always two beds in the living room, and I used tae sleep in one at Crailin'. Oh, the fire, it wis jist one o' these big, you know, an open fire, with a wee oven at one side and a wee hot water tank at the other. That's where ee got your hot water. And that wis where ma mother did her cooking on, there were nothing else.

We jist had a lamp, a paraffin lamp. It wis all paraffin, a paraffin lamp and candles, but it wis usually the lamp for lighting.

Well, at Crailin' ma father came back from the army. Two years, ah think it wis jist about the two years he wis away in the army. He'd be back home some time in 1916. Well, he had tae leave Crailin' when the May term came and seek another place because o' his health.

Ma father got a job at Roxburgh Mill farm after Crailin'. Ah wis five when we were there and ah started school at Roxburgh Public School in the village. Ah don't have much memory of that school, well, ah wid jist be there the year. Well, we were jist over the year at Roxburgh Mill because it wis too near the water. Ye see, he wis right near the water – the Teviot – and it wis very bad for asthma. So he wis advised by his doctor to move.

Oh, they weren't very good houses at Roxburgh Mill. Ah remember the livin' room, and there would possibly be a room – there usually were a room. But, ah mean, that would be the lot, and jist a kitchenette. And a paraffin oil lamp, jist the same as at Crailin'. And a range, jist the same kind for cooking, and toilets and things jist the same.

Well, ah think from Roxburgh Mill it would be Tweed Brig Toll at Lindean, on the Selkirk side o' Galashiels, ma father moved to. We wis there two years. It's down now, the cottage we lived in. And at Tweed Brig Toll ma father wis on the roads for two years. He was a county roadman and he worked on the roads for two years. Ah wis quite young, ah wid jist be about seven. And I went to Lindean School.

Oh, ah remember goin' to that school. And, you know, the most recollection that ah have was, well, ah was inclined tae be a backward child. Ah wis backward. Ah don't know whether ah wis shy. Ah wis a bit slow. Well, ye see, ah never had a chance, because movin' from school tae school ye were always put back. Ah wis very good at sums and other things. Ah wis a good reader – but spelling wis ma difficulty. One thing ah can remember is at Christmas time. It wis a nice schoolteacher we had, and there wis a Christmas tree. And of course everybody wis gettin' presents and ah thought ah wis goin' tae get nothing. And ah wis jist about in tears, you know – ah wis quite young – ah wis jist about in tears, and I got a lovely doll off the top o' the Christmas tree, a sleepin' doll. And, oh, ah wis fair delighted. And ah wis able in later years tae thank that schoolteacher, because there were friends in Kelso knew her and ah said for tae thank her, that I never forgot that doll.

Well, ah never got very much at home. Ma mother never could get me very much. Ah got very little Christmas. They hadnae the money. Some weeks they had no' wages comin' in. Well, like, ma father he wisnae unemployed but he didnae get wages when he wisnae workin', when he wis ill. It wis sometimes a fortnight he wis ill. And then he wis workin' again. Then he jist got a chill again and there he was.

Oh, ma mother wis distressed quite often wi' ma father's health and the lack o' money. She had quite a hard time. Ma mother never went out to work. The only time she went tae work that ah can remember her workin' wis when we were at Tweed Brig Toll. The wages on the roads werenae too big and we hadnae got the potatoes and things that oo had on the farm, and she went and shawed turnips. Ah can remember that, because ah come back from the school and ah always knew where the key was tae get in. But we had a dog and the dog wouldnae let anybody either touch me or let anybody intae the house. Oh, it wis a great guard dog. And at Lindean ah could wrap the dog up in a blanket. Ah had a wee pram and put it in the wee pram and would take it for a walk, and the dog would sit there and never bother, happy as a king. It wis a little terrier, quite a small dog. It was really what they put down fox holes, ye know, a real fox terrier. And, oh, it wis a wicked brute. But nobody would dare ha' looked at me. Oh, it was a good protector. Ah jist doted on the dog because, well, it wis ma company. Ma mother always had dogs and cats. She wis always fond o' animals so ah wis always fond o' animals and ye'd always the animals there.

Ah never as a girl joined any clubs or the Brownies, because ah never wis near enough and ma mother hadn't the money: ye see, the money again. There were always children where we lived, well, except that ah had the dog at Lindean. But we played skippin' and ball and everything.

Well, from Tweed Brig Toll we moved on tae Halkburn. That's up at Galashiels. We moved up there. And we wis a year there. And ah went tae the school there. Ah changed schools again. Ah wis always changin' schools. Ah wis older then, ah would be eight or nine. And we moved from Halkburn to, oh, Hollybush. It wis jist out o' Galashiels as well, the opposite side o' Galashiels. Then we were on a farm at Ashkirk – Ahkirktown farm. Jist right round Selkirk and Galashiels, constant moving, right round.

Ah never had any bother wi' the teachers at the schools. They never got annoyed or anything. There were jist one teacher that ever bothered me. Now that was at Ashkirk School. And they hadnae realised that ah wis short sighted. And it wis a map, and he took me out and ah wis tae point out this thing on the map. Well, tae be quite honest ah couldnae see it, ee see. But the teacher didn't know that. And of course he had got right cross and jist took ma head and knocked the blackboard clean over wi' ma head. He gripped me by the shoulders and jist gave me a shove and pushed the blackboard over. And of course ah said when ah went home. Ma father went tae the teacher and, 'Well,' he said, 'why couldn't she see? Why couldn't she point out the thing?' And it dawned on them, and then of course they got iz glasses. Ah didnae have glasses before then.

Ah wis good at sums, I was a good reader. Oh, well, ah would be able to read before ah went to school. Ah wis always . . . Ma mother wis always readin'. When ah wis a little girl ah used tae sit – they would be readin' a paper and ah wid be sittin' wi' a book, supposed to be reading – but ah couldn't! Pretendin' ah wis readin'. Oh, yes, ah wis always a good reader. Oh, ye know, sometimes somebody gave ye a book or they would maybe get ye a little book that ye could manage yourself. Ma mother wis a great reader herself, well,

People's Friend, and all these things – magazines.[25] She didn't get books because they'd be too expensive. We were never near a public library. So it wis difficult to get any books really. Ma mother didnae encourage me tae read as a girl. They didnae encourage iz in any way but, ah mean, what they did ah did. Ah copied ma parents. Ye see, ma mother wasn't a scholar. She wisn't a scholar. Ma father wis a lovely writer, and he wis quite a good scholar. But ma mother wisn't a scholar.

And then we were at Mossilee. That wis jist at Galashiels, up on the Peebles side, jist up on the hill. Ah mean, when you're in Galashiels you're looking up at it. Ah went tae school jist around Galashiels, jist where ah wis stayin', ye know. Ah think we were two years at Mossilee. Ah think we were lucky there. The farmer there wis maybe more understanding, it might have been. And maybe the work ma father was doin', well, maybe it suited the farmer, ah don't know. But that was unusual because we moved every year. And then from Mossilee we came to Easter Langlee at Galashiels. It's a big built up area now. Well, that wis jist a farm there then.

Ah can remember goin' to the school from Langlee. Now ah wis thirteen year old. Everybody had shoes on. Ah still had tae go wi' boots because ma boots weren't worn out and ah had tae wear these boots out, because they couldn't afford . . . Ah knew ah was a bit deprived compared wi' other children, but it didn't bother me. The only thing that annoyed me wis ma boots, because ah wis the only child at Roxburgh Street School in Galashiels of that age that had boots. The rest all had shoes or sandals or sand shoes, ye know. That always stuck. But ah knew ah couldnae get them so ah didn't bother. Ma mother used tae buy remnants and make me a dress. She wis quite a good dressmaker, and she wis a lovely knitter. She wis a very good housewife.

And then, well, when ah got about ten year old, ah mean, well, there were always somebody had a family and a little child, and ah wis always there either helpin' wi' the child or helpin' washin' dishes. Because ma mother had no time tae be bothered wi' ee workin' about. She like-ed tae get on wi' her own work and she had no time tae – ah'll be honest that way – she had really no time for tae say, 'Oh, you can wash the dishes.' It would take me far too long. That didn't suit her. Well, she was a great worker herself and she thought ah wis slow. Well, there were a good family at one of the farms we were at, and the lady she milked the cows and everything. She wasn't a housewife: ye'd go in and her table would be from end to end with dishes. And ah would start and wash the dishes or help wi' the wee one, ye know. And occasionally, for doin' that, when she took her older son and daughter to the pictures she'd take me as well. Otherwise ah never would have got to the pictures, 'cause ma mother never went to town or pictures or anything. She didn't have any enjoyments. But she never tried tae get out and about. She didn't join the Women's Rural Institutes.[26] She didn't join in anything like that. But then she jist hadn't the money tae spend, ye see.

Now ma father – if ah went anywhere at all, if ah went intae the town – it wis ma father that took iz. And if ma father was away he always brought iz a sweet o' some kind. But ma mother was never away. She was always workin', knittin' and sewin', and suchlike. Oh, we never had a holiday, never once. It was out of the question. The first time I can remember going anywhere it must have been a trip. It wisnae Edinbury, it wis seaside, jist quite near Edinbury – Portobello. And that's the first time ever ah seen the sea. I would just be about eight or nine year old then. It must have been a school trip, otherwise ah wouldnae have been there. Ah must have been at Lindean or Ashkirk or one o' these places. Ah jist can't remember where ah was but ah do remember being at Portobello at the seaside. It wis a great treat.

Ma father went to church, Church o' Scotland, ah went wi' ma father. No' every Sunday – occasionally. But ah always went to Sunday School

Ma father read the papers. Oh, it would be the *Weekly News*, if ah remember right, and the *Southern Reporter*, round the Gala way, you know, jist the local news.[27] Ma father was a Liberal but he didn't go intae . . . He wasn't active. He would vote Liberal but he wisn't a member.

Well, as ah say, we were at Roxburgh Mill, Tweed Brig Toll, Halkburn, Hollybush, Ashkirktown, Mossilee, and then Easter Langlee. And at Easter Langlee we were the two years as well. But it wis jist a bit lucky. Well, by then ah wis fourteen. And we moved down to Linton, that's down by Morebattle. And that's where ah started work.

Ah wanted always tae be a nurse but ah hadn't the education. And then of course ah had to go wi' ma father and mother. Ah mean, ah never got the chance. Ah think ah could maybe have learned because, ah mean, now ah'm quite a good speller. Ah learnt maself. Spellin' wis my worst, you know: now and how and know. Ah learnt all these after. But ah knew ah had tae help ma parents, and ah jist carried on. It didnae really bother me in the least that ah never got the chance tae be a nurse. We were always movin' from one place to another. And that's the reason ah went as a bondager, tae try and help. Well, ah usually kept jobs either two or three years, whereas it wis every year ma father had tae move. And when ah started tae work it helped tae keep him a little longer at places, you see.

Ah got the job at Linton with ma father. Well, ye had your hirins at that time. There were hirins at Earlston and hirins down at Kelso. The hirins were in March for both o' them. But, oh, the hirins were all around, ah mean, ah think there were hirins at Duns as well. But ah never wis there. Ma father went to the hirins more or less every year, because he had tae change jobs every year. But that wis the first time ah wis at the hirins. Ah didn't feel nervous about the hirins, ah didn't bother about that. Ah mean, ah might be a bit nervous startin' work, jist wonderin' how ah wis goin' tae do it.

We got to the hirin', well, you see, there were trains. There were trains from Gala. You got a train. That's how we went, by train.

Well, ah think it would be Earlston hirin', but ah don't know which one we hired in. It didnae matter. We'd go to that. Well, at the Kelso hirins they were jist standin' around in the Square at Kelso, the big square. The hirin' wasn't held inside, it was outside in the street. Oh, there could be anything to a hundred. And ye'd jist be standin' around and ye'd meet somebody – ma father'd meet people he knew. And then different farmers that needed people was there, you see. The farm workers stood and spoke to one another there and waited until maybe a farmer would come and ask if you were to hire. The farm workers didn't approach the farmers, you didn't do that. That wasn't the done thing. The farmers had tae approach the workers. And a farmer would come forward and ask ma father, 'Are ye to hire? And do ye have a woman or a girl?' And of course that's the way we got hired. So ah wis there with ma father. Oh, ye had to be there, ye had tae be there. The farmer had tae see the girl as well as the man. The farmers they knew them that were to hire by their clothes and their bonnets. Ah mean, they knew the men that wis workers.

When you were hired the farmers usually jist probably gave the worker a shillin' and this wis their erles. Well, the farmer put a shillin' in ma father's palm, but not mine. He didnae give me erles, he jist gave ma father them. It wis jist the one shillin' for the two o' us. That wis supposed to be the gentleman's agreement. You were both hired then. And sometimes at the hirins ma father would be taken in and given a glass o' beer and a pie or something by the farmer. You weren't included, well, you couldn't go into the pub. It wis a pub at Earlston, for ah remember the pub. Ah don't know what it wis called. But ah remember, you know, seein' the pub. Sometimes the farmer treated the worker once he wis hired. Oh, some o' them did, and some o' them didn't, jist dependin' who the farmer was. Ah've been tryin' tae mind the name o' the farmer that hired us tae Linton and ah can't. That would be in 1925 ah wis first hired as a bondager.

So ah left school at Galashiels and started more or less straight away at Linton farm at Morebattle. Ah wis just fourteen. That wis ma first job. Well, you was counted as a half worker. And at that time there were always usually a lad had been taken on, maybe at fourteen as well. And if there were two girls, well, say you were out doin' something – singling, or anything like that – you'd take a half each: the two o' you would share the drill. That wis what they called half-work. You were known as jist a half worker, a bondager – half. But you were known as a bondager. Well, they talked aboot them bein' bonded to the farmer for a year. So ah think that's the way they would be called bondagers. You were bonded there for a year, ye see. It wis a year's contract.

As a bondager you had special clothing that you wore. You had your drugget – what they call drugget. It was very heavy, strong – made a long skirt, you know, a drugget and suchlike. And you had your blouse, and a waistocat made out o' tweed, ye know, and suchlike, and your leggums. Ma mother would make the leggums out o' tweed, double tweed. It was thick leggings and they buttoned up. And your boots, well, it was lacin' boots – tackety boots. And ye had a big square went over your head and down. And then you had your big straw hat. Ee bought the straw hats and ee bought what they called a ruche and put it round the hat. It wis red and black, it wis made o' black and red, oh, jist bits o' any kind o' material. It wis jist tae make the hat look that little bit different. But it was always black and red. That wis just the custom. The bondagers throughout the Borders wore black and red. Everybody had these, the bondagers mostly had these hats.

The work to begin wi', when you went in May, you would jist be waitin' until the potatoes and the hay wis ready tae go, and do these sorts o' jobs, ye know. And in that time you would be given a sickle to go and cut thistles if you werenae' workin' on the hay, if it wis damp and that. And you would make the hay intae kyles. And then the kyles wis made intae rucks. Oh, ye had tae make rucks. As a half one ah stood on the rucks, tramped the rucks. Ye stood on them and ye had tae keep your middle well filled. Ye were telt what tae dae, ye know, and that.

So ye had your different jobs that ye did and, well, that wis one o' them. And at the hay time ye used tae have tae go and, if it wis a wet day, ye would go intae the straw barn and ye would make ropes for tae put over the ricks, for tae tie them down. That wis tae prevent them bein' blown over. The ropes were made with straw. Well, ye had a man fed them in and we had what ye ca'ed a thrack rake, what ye wid ca' a throw.

That wis our name for it, thrack rake wis what they ca'ed it. And it wis a rake thing and a hook on the end and it birled, and you kept goin' out and they kept feedin' in, and it made this straw rope. It wis quite simple, well, it wis jist a thing you turned, ye know, very simple. And that's what ye did then.

Well, that wis your time at the hay. And then the rucks, well, as ah say, ye trampit rucks. And when ye come off the top and werenae trampin' ye had tae rake the hay in round about, keep things tidy. Ye know, jist any little job like that that could be done.

Then the harvest time, they opened up the fields. Ah wis put in along wi' a man but, ah mean, ah shouldn't have been because ah wis jist a half. But ah got a lot o' full jobs, but never mind. And that wis the only time ah ever got wrong from ma dad, because he said ah wisn't goin' quick enough. Ah wasn't very quick, but ah'd never done the job afore. However, the gentleman ah wis workin' with turned on ma father. He says, 'Leave the girl alone, she's doing very well.' Because ah think ah wid jist be about in tears, because ma father never quarrelled me. Ah wis a bit upset.

And ye had a thing like a rake, like it had a handle and two things. And the swathe wis lyin' and ye took it and put it on to your forearm, tae make a sheaf. And then ye took two pieces – ye'd take a handful and split them – and make a rope. Now that wis ma difficulty, gettin' the right knoat. Ye ken, it wis rather difficult tae start wi' until ah got used tae it. And then ye had tae tie it again and tie it up and set it up. And that wis the start o' the harvest.

And then ye went went oot stookin', the half and the young boy that wis there. They were stookin' – like two raws on each side and the stooks up the middle. And you had tae have a rake or something and gather the loose stuff all up. And that wis your job as a half.

The next job wis the potato harvest. Well, the two of us again, the young lad and I, wid have tae get what we called stents. We'd have tae do one between us, ye see. We picked up the potatoes as the machine came round and filled the baskets. It wisnae sae bad when the two of us wis there.

But it wis definitely hard work. And often in muddy, clay conditions, and, oh, sore on the back, bendin' down.

In the winter months, ye see, ye had, well, there were hedges tae cut, and you raked up the thorns and ye burnt them. The men cut the hedges. The bondagers did the rakin' up and the burnin'.

And then after the corn wis in, well, of course, ye had your thrashins. And the thrashin' mill would come in and ye had your different jobs. Well, we would be carryin' chaff – or calf, we ca'ed it: it's chaff really. And this wis our job. That wis the first year ah wis there at Linton. The first year you didnae have to fork up sheaves – that wis in the second year. Ah shouldn't have been doin' it the second year either because ah wis only a three-quarter then. Ah wisnae gettin' the full wage, ye see. But, oh, they needed somebody tae do it. So ye wis put on and that wis it.

Then ye whiles had tae go up intae the loft and turn the barley or wheat from one end tae the other for heating. Ye did that wi' a shovel. And ye had tae shovel it all to one end for tae keep it from heatin'. And that wis done regularly until it wis right cool because otherwise it wid grow if it wisn't done. It had to be done, oh, maybe once a fortnight. It wis heavy work for a girl. Oh, yes, it wis heavy work. It wis all really heavy work.

And then, ah mean, when ye came on ye were shawin' turnips. It wis always bad on ma back. That's the only thing: ma back bothers me. And, oh, the fingers, they got very cold! Ye had tae get the turnips in before the right frost, so it would be October, November. Once the potato harvest was finished, ye did the shawin'. Oh, you could have gloves for the shawin', but they got wet and they werenae much good.

If it wis a snowy winter and there wis snow on the ground, well, ye had grain sacks to mend. Ye mended, ye aye got that. Ye had to mend these wi' a great big needle.

And then usually there were dung tae go out, and ye filled in the closes – filled the dung and they took it out. They usually had cattle in these days and the straw wis trampit in and it wis all tae clean out. And then that's what they kept the fields wi', ye see. It wis put out in heaps, jist small heaps. It wis put jist up and down the field, these small heaps. Then on a cold day you went out and spread that with a graip. Ye did it all by hand. It was heavy work, too. And ye had tae, ah mean, the first year, well, as a half ye jist did every other one. But the next year, as threequarter, ye had tae carry it in and keep up wi' the rest. And it wis quite heavy work. Ye had tae do your bit, as they say. Ye couldn't fall back, otherwise the steward would have been after ye. The first year ah wis at Linton we had a very good steward. The steward changed when ah'd been there a year. The second year he wisn't sae good, but it never bothered iz. The second yin wis always keepin' chasin' ye on.

In January, February, early March, well, there were cattle tae feed and then you would have bields tae put up for the lambin'. Well, the men would put two bars o' palin' around and put it in, and then ye had the straw in bunches, what we called bunches. And you had ropes and you had tae tie these bunches round – and they had to be properly done – for bields for the sheep, to keep all the cold winds off the sheep.

Oh, when ah began the work was quite interestin' – very hard, but interestin'. Ah enjoyed it. Oh, ah didn't enjoy the barley! Ye ken how a' the barley anns crept all over you. Ah didnae enjoy that – jaggy and that, ah didn't enjoy that. But otherwise . . . Thrashins, ye know, when ye, well, ye stood up on the mill and ye cut the sheaves. That wis one o' ma jobs. You had a knife to do that. And you had tae be very, very particular wi' the givin' o' the sheaves tae the man, otherwise they were very annoyed. You had a certain way tae handle them and hand them, and ee darenae hold on tae them. And ye had tae be very careful in case ye fell intae the mill, ye see.

And there were what ye ca'ed lowsers. Well, oo wis lowsin' the thing. Some ones were good lowsers and some . . . And the men used tae come in the mill and they wid say, 'Oh, we don't want her.' They would know the ones that they would rather have. But ah like-ed that kind o' work.

Oh, at Linton there wis a great atmosphere at the harvest. In the harvest time ye got your baps and your cheese out. The men got it – we didnae. They got the beer and the baps. The stackers – they all got their beer and baps. Women didnae get beer and ee didnae get baps either. We mustnae have been hungry! The baps were little loaves, jist a small loaf. That wis a special harvest loaf. Well, the men got them but the women didnae get them. The women didnae get anything. Ye see, it wisn't supposed tae be sich hard work for women. But of course it wis very hard work.

When ah began work at Linton ye started at six o'clock. Ye had tae be up at half past five and get a move on, for ye had tae be in the stable at six o'clock. Well, ye had your cup o' tea before ye went to the stable. But ye carried a tin bottle, a tea bottle. Ye had no flasks then. And a sock on the tin bottle or something, to try and keep it warm. And ye carried whatever ye were goin' tae be eatin'. And ye had that at eight o'clock out in the field. Ye didnae come home for it, oh, no. Before ye left the house ye had a cup o' tea. And if ye wanted to eat something ye ate it. But ee had no cooked breakfast, because, ah mean, well, ma mother had tae be up at five o'clock tae get the fire lit tae get the kettle boilin'. So that wis jist the thing. It wis an early start.

And then we stopped at eleven o'clock and went in – well, it wis supposed tae be. We had from eleven tae one. But it wasn't for the sake o' the worker. It wis for the sake o' the horses – tae give the horses a break, the two hours, ye see. And we started again at one o'clock tae five.

But harvest and hay: in the hay time you worked sometimes tae six or seven o'clock. But the farmer always had tae send out tea in the afternoon for everybody. That wis between three and four o'clock ye got that tea. He had to provide that, otherwise they wouldnae work, because they didnae get any extra money. There wis no extra money for overtime. Well, ye might work on tae nine in the harvest. But ye got thirty shillins extra for harvest – thirty shillins althegither. That wis all ye got. It didnae matter how long harvest lasted or how long ee had tae work late, that wis all ye got. Ye got this thirty shillings. That wis the sum that wis agreed, that everybody got. There were nobody else got any more or any less. That wis it. So ye could be workin' a lot o' extra hours. But all ye got wis thirty shillins.

Ah don't know if everybody – the half workers as well as the adult workers – got thirty shillins, because, ye see, ma father wis hired along wi' me at Linton and ma father got ma wages. Ah couldnae really say for that. He would know but ah wouldnae.

Well, the first year, when ah wis fourteen, ah'd six days a week – Saturday as well, six tae five. And at harvest time ye had tae go out on a Sunday if it wis good weather. So it might be from six in the mornin' on a Sunday tae nine at night. And ye didnae get anything more. But it wis very rarely that they bothered ye on a Sunday, mind ye, ah'll say that. They werenae too bad. And usually if they did start on a Sunday it would be at aboot twelve o'clock. It wouldnae be early morning, because it wis always damp, ye see, early mornin'. Oh, ah don't think it wis twelve o'clock because the farmer felt his workers might want tae go tae church! He didnae go to the church, so ah don't think so.

So it wis really a long day and a long week for a girl o' fourteen. And between hay and harvest ah've seen us get a half-day – a Saturday. But maybe ee got two half-days in the year. And that wis a treat. And Morebattle Games ye got a half-day. Morebattle Games wis in the end o' July. And then Kelso Fair. It's in August, the first Friday in August. Ye always got Kelso Fair, the whole day. We didnae get Christmas Day. We got New Year's Day. So ye got New Year's Day and Kelso Fair Day – that wis two days – and a half-day for Morebattle Games. These were the only holidays ye got – two and a half days a year.

Well, that wis the first year ah wis workin', in 1925. The second year they demanded the half day every week, and they were gettin' that Saturday, the half Saturday, then. So that would be from 1926. Ah think it wis the whole o' Scotland that got that. It wis wider than jist Morebattle. It was the union that got it. Well, we got it there at Morebattle. We wouldnae get it in the harvest and haytime possibly. But, ah mean, we got a half day anyway.[28]

Oh, there were no such thing then as a week's summer holiday. You never got away for that.

As ah say, ma father got ma wages. Ah didn't get them into ma hand. Ma mother kept 13s. 6d. for ma board and bed and so on out o' ma wages o' 14s. a week. So 6d. ah got! And if there were a dance ye'd get a shillin' for a dance. But ye werenae gettin' pocket money or anything. Well, wi' ma 6d., well, there wis three bondagers at Linton farm but two of us wis younger and we used tae go on a Saturday night to Morebattle. We walked to Morebattle, oh, it'd maybe be two miles. And we went there and bought sweets wi' our 6d. And then we walked back again. That wis oor week's entertainment. Unless there were a dance. And if ye had a dance ye didnae get sweets. Ye couldnae afford them both.

Ah wis allowed tae go tae the dances when ah wis only fourteen, because ah had cousins – girls – used tae come tae the dances and they used tae stay wi' ma mother. And if they were goin' ah wis allowed tae go with them, as long as they brought me back home with them by eleven o'clock or so. Oh, you weren't allowed tae stay out late, oh, no, no, no. Oh, the dances were held at Morebattle very regularly. We often had a dance, well, on a Saturday night maybe once a fortnight or once in three weeks. And within that ye might have yin on a Friday night. Oh, ah loved dancing. It was all Scottish dances, oh, waltzes, eightsome reels, Dashing White Sergeants. It wasn't ballroom dancing, no quicksteps or foxtrots. Ah loved dancin'. Well, they say ah'm a good dancer!

Oh, the dances at Morebattle were attended by everybody in the village more or less, ah mean, all the young people in the farms around. Well, ye knew one another and you went to the dances. They were mainly farm workers who were there. Oh, there were older people as well: fathers and mothers, some o' them would go. It wasn't jist young people, oh, there were a good mixture o' ages. It was the older persons that learned ye tae dance, like the Lancers and these dances.

And then at Whitton farm ah had two lots o' cousins. They had big dances up there and ah used tae stay up there on a

Saturday night, and they learned me to dance. Ah would practise wi' them. And then at Hoselie there were thirteen o' a family there and they had two houses, and ma uncle Jim could play the accordion as well. We had mony a dance on a Saturday night there wi' ma cousins. There were enough o' us tae make the sets. But ye had tae walk from Linton tae Hoselie and, mind, it wis a long road, oh, it would be about six or seven miles. So ah walked there and ah walked back home the next day. Ah stayed overnight there.

Ah loved dancin'. Ah have an ear for dancin' but ah've no ear for singin'. Ah didnae play any musical instrument. Ma father wis a very good accordion player. And a lot o' them, you know, went and had competitions, and ah remember ma father winnin' the competition for playin' the accordion. And that wis in Kelso. He wis a good player. He never played in a band, but his brother-in-law had a band. They had a good band, but ma father never played because he couldn't, because he could have been ill, you know. And then he would have let them down, you see.

Well, the next year on Linton farm, ma second year, ah did work whatever the others did. Ah wis a three-quarter worker but ah wis only gettin' sixteen shillin'. Ah didnae get the full wage. Ah went up two shillings between the first and second year. But when ye came tae be a full bondager – well, ah wis the third year – ye got, ah think it wis twenty-two shillins. Ah'd be sixteen then. Ye got twenty-two shillins. Ye were regarded as more or less a full adult worker after two years, by the age o' sixteen. Ye were supposed tae be able tae do whatever wis done on the farm. It wis a two year sort o' apprenticeship and then ye were regarded as a full worker and ye were expected tae take on any job.

Women didn't plough, though. Well, there were an odd woman did plough, but ah never did. Nobody – no woman – did on the farms ah wis on. There used tae be a woman, a bondager, down at Mindrum and she did all the ploughin'. And she wis great. But she wis a very big strong woman. Well, ah don't know if it wis because women were regarded as no' strong enough tae plough. Ye see, it depended on whether you liked horses or not. Ye see, it wis a queer thing. Ah never wis very fond o' horses. Ah wis a bit nervous o' them.

Some women could handle horses. Well, they did the harrowin', some o' them, and they had the horse. The bondager often had a horse and cart. But ah never did have a horse, because ah wis mauled wi' a Shetland pony when ah wis a girl before ah started work on the farms, and ah never trusted horses. Beasts – like cattle o' any kind, bulls or cattle – ah wisnae a bit afraid o' them. But ah never worked wi' a horse because ah jist said ah couldn't. The farmers jist accepted that, well, because they knew if I wis frightened the horse would play up and then there would ha' been an accident. Ye see, a horse knew exactly who wis frightened for it. So ah never was very fond o' horses.

But ah wisn't unusual. It wis jist occasionally a woman would work wi' a horse. It wisn't the regular done thing. You werenae forced in any way. They would ask you maybe, but ye werenae forced. If ye didnae want tae do it ye didnae do it. And there were usually plenty men and boys to do the horses.

When ah started at Linton farm in 1925 there'd be roughly fifteen or sixteen workers there. The farmer, well, didnae take part in the daily work o' the farm. Ah've seen him, if you were thrashin', he wid sometimes come and help – a special occasion. But he wisnae there every day wi' his workers.

Oh, at Linton there were always aboot four ploughmen – four pairs o' horses. There wis a cattleman and a shepherd, a steward, and three bondagers. One o' the bondagers wis two year aulder than me. The other bondager wis an older woman. She was what we called the first: she went first. Ye see, they always got a shillin' extra. The first ploughman and the first woman always got the shillin' because they had tae lead and keep the other workers goin'. So they got that extra shillin'. So the older woman wis the forewoman. Oh, she could give ye orders. And she could tell ye what to do or ye werenae doin' it properly. But she never really bothered. Her name wis Nan Murray. Oh, she'd maybe be about twenty-nine. But she seemed a lot older than me, ah wis jist fourteen. Nan Murray wasnae married, she was single. She wis the farm steward's daughter. She lived with her parents in the steward's house.

Then, well, ee see, there were the young lad. He wis the odd lad, the odd boy. He wis about the same age as maself. He started at Linton when ah did. And one o' the ploughmen had a son, so that wis another worker. But he wisnae a ploughman, he wis what ye'd call an odd man. He wis ca'ed the orrie man, he did odd jobs.

Then there were often Irishmen. There were always somebody employed, like at the harvest and hay, maybe a couple o' men. Well, they'd be Irishmen or maybe a man from round about. But there were Irishmen at Linton farm, oh, they had Irishmen. Well, they lived in a bothy in the steadin'. They cooked for themselves. None o' the wives cooked or cleaned for them. They did for themselves. At Linton ah'm not so positive it bein' the same ones all the time. Ah can't remember their names. Sometimes they were older and sometimes they were younger. But usually at Linton there were two Irishmen.

Ah couldn't be positive but ah think some o' the men at Linton farm were in a union. Ma father was a member o' the Farm Servants' Union. He was very keen on that. He wasn't an office-bearer, jist a member but he attended the meetings, oh, it would be Morebattle. There would be a branch o' the union at Morebattle. Oh, ah've heard him say that they were wantin' an extra wage or better conditions, shorter hours, and these sort o' things. He wis keen on these things. But ah wis never approached in any way tae join the union. It wisnae a thing the women did. They didnae join the union as far as I know. I jist accepted it that women didnae join the union. Oh, the other two bondagers at Linton they never talked aboot unions. But ma father he wis always a union man. And that was a thing whiles he got into trouble with, through the farmers – ye know, him tellin' the men what to stick up for, and that didn't please the farmers. Ah've heard him talkin' about them but, ah mean, ah wasn't payin' much attention. Ah wisn't interested in that respect.

Ah liked the work at Linton farm. Ah didn't find it too heavy. Oh, you were tired at night. Ah always wis into bed back o' nine o' clock: ye had an early rise, five o'clock or half-past five. In the evenings an odd person came in to our house at Linton but, ah mean, then ah wis o' no interest because ah wis jist a girl, you understand. Ah wis there but you held your tongue. You listened. You were seen but not heard. That wis the point. Well, ye see, we had so many friends around that there were always somebody comin' tae the house. Ma Uncle Bill or some o' them were comin' up to see ma parents. And that wis how the evenings passed.

It wis quite a good house at Linton. It wis a tied house, rent free. Of course, if you lost your job or changed your job ye had tae leave the house. That wis a standard arrangement. At Linton it wis two bedrooms and toilet and everything. We had the oil lamps there. The cooking wis on the open fire range, wi' a wee oven at the side and a wee hot water tank at the other side. There was running water but just a cold tap and no bath.

And, oh, ma father had a garden at Linton. He was quite good with the garden. I used tae have tae help him wi' the garden, mind. Well, ye jist had tae do it, ah mean, ye had tae help. Ah mean, ye got a day for tae go, a Saturday off, tae go tae put the garden in when ye got the job. Well, ye went wi' your father and helped tae put the garden in. Well, the garden wis there with the house all the time. So ye jist actually jist got the garden as a part of the job. The previous tenant cleared the garden. And there were a load o' dung put in, jist heaped up, ready for ye tae use when ye went. And then ah wis the one that carried the dung, ye see, and helped. Ye did these things.

And at Linton we got cheap milk but we never got free milk. Well, ah mean, the worker, Mrs Thomson, had a cow and they got the cow on condition that they supplied the farm people. But ye had tae pay for it, like. But they weren't allowed tae overcharge.

Ah never wis allowed to do anything at home. Ah wis never allowed to cook; dusting or cleaning never, not even cleaning the grate. Ma mother did all that. Ah mean, ah've seen iz wash the dishes. But otherwise she did all that sort o' work.

She never asked me tae do anything. She had done it, and that was it. That wis the thing. Ah wis – well, ah wisnae vexed, because, ah mean, ah had learned wi' other people. Otherwise ah wid have been hopeless. But ah wis quite good. Ah wis quite a good cook, although ah'd never cooked before. Ah learned tae cook jist by watchin'. Ah used tae watch what ma mother wis doin', what she put in, and how much she put in. But she never learned me. But ah wis always watchin', ye know. Ah don't know why but ah jist had that nature tae watch. Ah mean, if there were a job done I more or less knew how that job wis goin' tae be done again. Ah seemed to pick it up quite quickly. But ah didn't work hard all day in the fields and then come home and have to work at home, oh, no, oh, no. Your meal was on the table all the time. Oh, ma mother was a good mother. She looked after me well. Oh, the meals were always on the table and you were always well fed. She wis a grand baker and everything.

We didnae have a radio at home at Linton. We had the gramaephone, one o' these high gramaephones. We had one o' them wi' a big horn, and then we got the other one, ye know, wi' the cabinet and ye cawed the handle. Oh, it wis a wonderful thing, the gramophone.

Well, ah wis two years at Linton farm. We moved again. Oh, ah would have stayed on. There were no bother where ah wis concerned. Oh, ah never had any words with the farmer. And ah got on well wi' the stewards. Ah liked the work and ah didnae find it too heavy. But we moved again because o' ma father's health. So we went to Sandyknowe at Smailholm.

We got that job in the hirins at Kelso. Ah went to the hirins again with ma father. It wis the same again: the farmer spoke to ma father and ah wis more or less ignored, and ma father got the erles. And then, oh, ma father went off and got a pint or a pie with the farmer, oh, jist the usual. Ah wis jist left. But, well, ah wis older then and usually ma cousins would be there as well, some o' them – no' that they were movin', but they whiles got a hirin' day holiday. And there were always a dance in the hall at Kelso on the hirin' day. And ma cousin and I would go away to the dance. It wis nice and warm in there, and we'd dance the afternoon until it wis time to go home.

At Sandyknowe it wis quite a good house as well: two bedrooms up the stair and a toilet – an indoor flush toilet – no bathroom. Oh, the flush toilet wis quite advanced for these days, oh, we wis quite well off there. No bath but, well, ye jist had tae have a bath when somebody wis out, ye know. There wis a big tin bath put in front o' the fire. Well, there wasnae a particular bath night in our family, no' really. Ye see, ye had tae have hot water and everything. It wis jist whenever it suited. And sometimes ye'd jist take a big basin up stairs and wash yersel' all over.

We had the oil lamps at Sandyknowe as well. Cooking wis the same as Linton, and the range ma mother blackleaded, with the wee oven and wee hot water tank at the other side. And it wis jist a cold tap at Sandyknowe. And then, well, ah think we had so many drills o' potatoes at Sandyknowe, and ye got a day in October or so tae pick your own potatoes. It wis something like a thousand yards o' potatoes. Ah mean, that wis your amount. Ye had tae gather your own potatoes and bag them and bring them in and put them in a pit. But Sandyknowe wis the only place we ever did that. Otherwise ye got maybe a ton o' potatoes or twenty bags o' potatoes.

Well, at Sandyknowe he wis a different farmer. He was a great man for horses, a great horsey man, and he had great stallions and everything, and the mares ran on the hill. The farmer, Mr Mathew Templeton, wis always workin' amongst the people. Well, there were no steward at Sandyknowe. It wis Mr Templeton wis the steward hissel'. He wis a working farmer. And ah got on very well wi' them. Well, ah wis a full worker then, ye see. That wis ma third year o' workin' on farms. Ah had the full wage there – 22s. a week.

There would be about twenty workers at Sandyknowe. Oh, it wis a bigger farm than Linton. Oh, there were a lot o' men at Sandyknowe. There were twae shepherds, well, Mr Templeton had prize sheep, ye know. He had two shepherds – a young shepherd and an older man. Ma father wis the first ploughman. There were jist the two bondagers at Sandyknowe. And if the forewoman wis off ah had tae take over and do her job, ye see.

At Sandyknowe there were also these two Irishmen, Barney and Mick. They came every year. They werenae brothers, but they always worked together. They were very nice, very helpful men. They lived in a bothy, looking after themselves. The wives o' the farm workers didnae clean or cook for them. They got their food, well, these days there were vans came round. Well, it might be a horse van at Sandyknowe, ah think there was a horse van. But later it wis motor vans. Well, for the Irishmen, there were jist a line left for the vans and they knew what tae leave for them. Well, after work, oh, Barney and Mick kept themselves to themselves. They were Roman Catholics. They went every Sunday mornin' to mass. They walked tae Kelso – it will be about five miles from Sandyknowe – and they walked back. Oh, they were friendly men, Barney and Mick, because ye were workin' a lot wi' them, ye see – the two women bondagers and the two men. We were often workin' away on our own, the four of us, because the rest o' the workers wid be doin' other work likely, seedin' and harrowin'. We all got on well together.

Oh, ah don't know where Barney and Mick came from in Ireland, they didn't talk much about their home. They were both married. They went away in the wintertime, they went home aboot the potato time for tae gather their own potatoes. They had little holdins, you see. Oh, they came tae Sandyknowe jist about singlin' time. Now that would be June, in time for the hay – singlin' and hay. And then they went back home after the harvest, about October or November. They were at Sandyknowe five or six months maybe. But they always came back every year. Oh, they were great workers. Barney and Mick were middle aged men, oh, they would be between forty and fifty. Oh, they came tae Sandyknowe a' the years that ah wis there anyway and before that.

Oh, Sandyknowe wis really a great place tae live – but it wis difficult tae get anywhere. Ah mean, ye had tae make your own amusement. Ye never got away anywhere. Ee got tae dances at Linton but ye never got tae dances at Sandyknowe, because there were nowhere tae go. Well, there would be an odd dance at Smailholm but oo never went. Sandyknowe wis isolated but there were so many young people there that it wis quite cheery. There were six or seven young people and ah've seen them playin' ball, ye know, jist throwin' the ball about, a tennis ball – sort o' rounders or catchers, something like that. Oh, we did anything – skippin', even as a young lass o' nineteen ah did skippin', jist tae pass the time. And there were always people in or playing cards or dominoes. Then we had the gramophone and that wis a great interest for the young ones, because they didnae have it. And they used tae come in and listen to the records.

Well, as ah say, there would be an odd dance but oo never went. And ah had nothing to go on. In the end ah got a bicycle. Ah wid be seventeen then. That wis ma first bike. Well, ah mean, ma parents they kept ma wages so ah guess that ah wid pay for the bicycle, because in the end ah demanded five shillins a week – I demanded it. I asked for it and I got five shillins pocket money. Oh, that wis a big increase – from 6d to five shillins! Ah, well, but ah wis a good bit aulder then. Ah wisnae a bairn then, ah wisnae a lassie, ah wis gettin' up tae twenty. Well, I'd be seventeen, ah got the bike when ah wis seventeen. It wis jist one o' these ordinary bikes, ye know, that they had in these days – the high handle bars. It wis a new bike. Ah don't remember very clearly how much ah paid for it. Ye see, at that time, ah mean, ah didnae pay for anything. It wis paid for and that wis it. Ma parents arranged it and ah jist didn't know the prices. They were good enough that way. 'Cause ma father had a bicycle and he thought ah should have one as well.

Oh, well, the difference wi' havin' the bike wis ye could get away. Ah could go and see ma cousins and that at odd times. When ye had the Saturday afternoon off ye could go for a week-end. Ma cousins were away from Whitton. But the cousin at Hoselie wis still there and ah went tae Hoselie. Ah stayed the night there. Oh, it wis a sense o' liberation. And they used tae come whiles and stay at Sandyknowe.

And, oh, ah went intae Kelso on ma bike, but that wis a

very rare event. It widnae be any more than two or three times a year. Ah very rarely went anywhere else on ma bike. Well, ah mean, on a Sunday, you'd walk tae the church in Smailholm and then come back. And, well, there were a girl next door at Sandyknowe and she worked on a farm further away. And on a Sunday when she went away ah usually went wi' her and walk-ed back. But ah didnae really go for long runs on ma bike round the countryside, ye see, ah had nobody tae go with. There were other young girls on the farm, but they had no cycles. So you were handicapped, ye see. They couldnae sit on your backstep, oh, ah had enough to do to cycle masel' withoot that! The roads were a bit rough. Ma father had a bicycle and he used tae go with me when ah went tae different places, on a Sunday if we went tae visit ma cousins. Ah jist went maself to Kelso.

Ah never went to the pictures in Kelso, never, no' at that time, ah never saw them. There wis a cinema in Kelso but ah didnae go. Ah didnae go there either tae buy clothes. Well, usually, Purves o' Allanton used tae come every year to the farm, and ma father had always got his clothes made wi' Purves o' Allanton. Purves was a tailor, oh, well known in that part o' the Borders. And ma Uncle Bill got everything there. Purves o' Allanton came round twice a year and anything that wis needed wis bought. Well, it wis a great big van, he had a lot o' stuff with him. It wis a motor van. Well, ye had tae get things made, like ye wis measured and ye got them made. And, ah mean, if ah got a coat ah would be measured and they would send some up tae see what ye wanted. It'd jist depend on what Purves had with him. And that's where ye got most o' your clothes.

Well, as ah say, at Sandyknowe ah got on very well wi' them. But ma father and Mr Templeton, the farmer, didn't agree, ye see. Ah don't know why but they jist didn't agree about some things. Ma father wis jist the three years at Sandyknowe and he had tae move. That wis the longest he had been on a farm. Ah think they fell out, ma father and Mr Templeton, otherwise he wid have been longer there. Ma father, ah don't know, he always thought he could do everything better than anybody else. And his brother wis the same. They were inclined tae be that way: they could build a stack better than you could, or they could do this and that. And it didnae do. It wisn't right, ye know. And ma mother didn't agree wi' her neebours either at times. She wisnae too bad. But ma father wis inclined tae be agitatin' a wee bit, whether it wis his health or what it was, ah don't know. He could be a bit irritable at times. The asthma wis an awful thing. And, ye see, he wis always mostly foreman on the farms and, ye see, that wis another way. Ah mean, if somebody wisnae doin' the work right, or they werenae keepin' up or doin' anythin', he had tae get at them and get them movin'. He wis the first ploughman. He kept the time. Well, he got an extra shillin'. Well, the ploughmen they had tae follow – what he ploughed they had tae plough, ye know. What he within reason did they had tae follow on.

Well, ah wis four years at Sandyknowe but ma father wis jist the three and he had tae move. As ah say, that wis the longest ma father had been on a farm. It wis because they had a worker: it wis because ah wis there as a worker. So ma parents after three years went tae Softlie – Softlaw – that's near Kelso. Ah think ma father wis jist an ordinary ploughman there. There were already a first ploughman there.

But at Sandyknowe the Templetons they asked me tae go into the big house for tae work as a domestic servant. Ah had worked there three years in the fields and ah would be nineteen when ah went into the big house. Ah wis quite pleased, because it gave me a chance to learn. And, mind, ye did learn. That wis one thing ah did learn - how to work, how to wash and how to do everything, 'cause you had tae do it properly. So ah wis more independent than when ah wis livin' with ma parents. Ah wis quite happy. So ah wis there a year working in the big house at Sandyknowe.

Well, it wis very hard work. It wis worse than on the farm, because there were five of them, the Templetons, and, well, ye had all these dishes and ee'd all the washin'. And ye never were stopped. Mr Templeton's wife had died. He'd never had a servant before. And there were the two brothers and two sisters and Mr Templeton's child, well, she wis a grown woman – there were five in the house, all adults. His brother and the two sisters they didn't work. They were jist in the house. The brother wis a diabetic. Ah never seen him workin' on the farm but he wid walk around the farm, ah've no doubt. But they decided they wanted a servant and Mr Templeton must have said that ah would suit them for work and that, you know, that ah would do the work – which ah did.

Ah wis quite happy workin' in the house at Sandyknowe. Well, the first six month ah wis there ah wis on ma own, but the second six month there were a young girl came and we had some great times. Ah got on well with her and ah really enjoyed it. She was younger than me and she was a domestic servant, too. The only thing ah didnae enjoy wis the wintertime because ah had terrible hands, because, well, ye had all the dishes and ye werenae allowed gloves and ah wis terrible bad wi' hacks and they were very, very sore.

Oh, the domestic work wis new tae me. Ah hadn't done that before. I had a wee room in the farmer's house. I was very comfortable. I was very well off. Oh, ye went tae start at six o'clock. Ye had tae be up by six o'clock and get the fires lit. And, well, ye had tae make the tea and the breakfast and suchlike. Ah didnae make all the meals. Ye had tae learn tae do different things, ye see. Well, ye got all the breakfast dishes tae wash. And after the breakfast dishes, well, ah didnae do any housework either through the house. Ah jist kept the places through the back more or less. But it wis a very big washin', well, ye had the washin' tae do after. And, well, ye'd get the washin' done and by that time it wis time for lunch or whatever they had. Well, ye peeled the potatoes and ye made the vegetables, and one o' the other ones did the cookin'. Ah never actually did the cooking, jist the breakfast. They had a cooked breakfast, bacon and eggs or something like that. They did the cooking, you jist set the table and did other work. Ye prepared everything and ye did all the washin' up and anything that wis to do.

But you were kept very busy, 'cause, well, the next day

you'd the ironin' tae do. Ye did the ironin' and these sort o' things. I didn't do the dustin', well, ye had tae keep the kitchen, scrub the table and scrub the floors and your back kitchen. But no' through the house. The sisters did that themselves. And then when the other girl came she did through the house. She wis aboot two years younger than me, she'd be aboot seventeen. She wis a local girl, her dad worked on the roads. But she got the job. And she did through the house. She wis a maid. She didn't do any cookin' either, they did their own cookin'.

Ah wis quite settled in the big house at Sandyknowe. Ah mean, ah wisnae glad tae leave the work in the fields but the Templetons ask-ed me for tae work in the house, and ah said, well, if ma father got a job ah wid dae that. So he did get a job at Softlie, ye see, and ah said ah wid take it on for a year and see how things went. Which wis as well, because at the end o' the year they had jist told ma father at Softlie unless he could get somebody . . . They needed somebody at Softlie for tae do the hens and the cows, milk cows, and make butter, and the washin'. So ah had tae go home tae ma parents. Ah really was sad tae leave Sandyknowe because ah did enjoy the company and that and ah quite enjoyed the work in the big house. Of course, when ah went to the farm at Softlie, well, there were a girl in the big house which ah knew, and we were quite friendly. And it wis quite cheery as well because we went tae dances together and everything.

Well, ye wouldnae call iz a bondager at Softlie. Ah did hens, cows. Ah dinnae ken what ye would call iz. Ah had nothing tae do wi' the work in the fields at Softlie. Ah worked wi' the cows and the hens, and kept your byre, and made butter. And then ye had to wash all the dairies out. And ye had tae do some domestic work there, ye know. Ah did the ironin' and . . . ye know. Ye had longer hours because, well, ye had tae go and shut the hens in at night, and ye had tae go and milk the cows at maybe six o'clock at night, ye know. They were different hours.

Ah started in the morning at six o'clock as usual. Well, ye see, sometimes in the afternoon ye'd maybe have a couple o' hours off, but ye had tae work at night for that, ye see. Ye might no' finish till maybe eight o'clock at night. So it wis quite a long day. Ah quite enjoyed it. Ah preferred that mixture o' work, workin' wi' the cows and the hens and doin' some domestic work.

At Softlie ah lived at home in ma own house with ma parents. It wis quite a good house.

Well, ah wis jist a year at Softlie, because ma father had been off a lot wi' asthma. By that time ma father had been two years at Softlie. The farmer said he jist couldnae keep him on. And then we were hired to Grahamslaw. We didnae go to the hirin' at Kelso. The steward came from Grahamslaw. He heard, and he must ha' come. Ah don't know why, but he came and hired us, father and daughter, anyway. Ah wis hired as a bondager again. Now ma father when he went tae Grahamslie he wis cattleman. He'd never worked as a cattleman before, but he wis cattleman there.

It wis a good house at Grahamslaw as well: two bedrooms, kitchen, no bathroom. Ah think we had electricity there. Ah think that wis the first time we'd had electricity, if ah remember right. There wis the usual range, the open fire. Ah think ma mother had a cooker by that time. It wis electric, she'd got an electric cooker.

And of course we always fed pigs and suchlike. Oh, we had our own pig, we always fed a pig, always fed pigs. Oh, ye bought your own pig but ye had a craivie, what oo cried a craivie, for to put it in. Well, the pig wis a great benefit because, well, ah mean, ye killed your pig and ye cured it. And ma father when he wis at Grahamslie he wis cattleman and he used tae go in for his breakfast every mornin'. Well, ma mother used tae have the bacon, ye see. Bacon wis a great thing because, well, ye could always fry a bit bacon and egg. And your bacon ee could boil a piece o' it if ye had nothing else, ye know. It wis a great help.

But ma mother never had any difficulties after ah started workin' at Linton. Well, she had the extra money, ye see. It made the difference.

Grahamslie wis a big farm. It would be aboot twenty

workers there anyway, jist about the same as Sandyknowe. Oh, ma father wis a good cattleman at Grahamslie and he wis a good stacker, too. But he wis off in the hay time. And the steward came and said tae me, 'Annie,' he said – Annie Robertson wis ma name then – he said, 'Annie,' he says, 'oo've nobody for tae build the hay stack.' 'Well,' ah says, 'how d'ye expect me tae build a hay stack?' Ah says, 'Ah've never built one.' He says, 'Are ee game tae try? Because,' he says, ' none o' the rest'll do it.' He says, 'Even the men won't.' Ye see, ma father wis the one that built the stacks. That wis a very skilled job. It wasn't a job that jist anybody could do. The steward says, 'Ah'll keep ye right.' So ah built the stack right enough and they were fair taken on that it wis sich a nice stack. But it wis the steward that kept iz right. Why he thought ah could do it, ah don't know, but he did. And he wis delighted wi' the finish o' the job. But ah didnae put the top on. Ma father wis back out by then and he put the top on. And he didnae put a high enough top for the bottom, and it didnae look so well. He should ha' put a higher top on.

Oh, my goodness, there wis pride among farm workers. At the stackin' ma father and ma Uncle Bill – it wis who could put the best stacks up, ye know. And who could have the driest stacks. Ye know, ye had tae keep them well filled in the middle and that. The driest stack meant keepin' rainwater out o' the stack. It didnae depend on the top that wis put on it. It'd depend on how you built the bottom. Ye had tae keep the middle filled. Some people were apt tae keep it slack and that's when the rain run in. But ye had tae keep it tight in the middle and that kept the rain out. The same wi' the grain stack. It had tae be firm in the middle, both for tae stand and everythin' else. That wis the secret o' good stackin'. And then for the top ye came in all the time. Oh, puttin' the top on was a job for an experienced worker. Ah'd never stacked before then at Grahamslie. It wis a thing ye had tae learn, oh, ye had tae learn. But the farm workers had a sense o' competition, oh, they would look over at somebody else's stackyard and say . . .

Oh, ma faither went tae the ploughin' matches and he

always got a prize. He wis a great ploughman, he wis a great plougher. Oh, farm workers would look over to the fields in the next farm and say, 'Oh, ours are better than theirs.' That wis the thing. Well, ye could get singlin' turnips – there are some people very good at that, and others werenae sae good, ye know. Ah wis medium, ah wisn't special. Now ma husband: ye could tell every drill in the field that he'd done. The farmer could jist go out intae the field and say, 'Oh, that wis Guthrie that did that.' But ma father wis good at singlin' as well. It's not an easy job, singlin'. But, mind, ah would rather single than shaw! For one thing singlin's in the summer, shawin's in the winter. Your fingers are numb and raw wi' the cold and the wet at shawin'.

And then at Grahamslie they came tae, well, the clippin' o' the sheep. The steward came tae me tae ask iz tae roll up the wool. Well, ah had never rolled up the wool before. Ah says, 'Mind,' ah says, 'well,' ah says, 'ah'll maybe can dae that but,' ah says, 'ah might be slow.' However, ah did it. But the two clippers they were on piece work, and they were really nice men, for a blissin'. And ah wis a wee bit slow and they telt me, they said, 'Ye're too particular.' Ah wis ower particular, ye ken, ah wis ower conscientious. Ah wanted them right, ye see, because ah kent fine there were lots . . . At whiles they had tae be din ower again because they had jist been flung tae the side. So the clippers yaised tae say, 'Now look, ye go and catch . . .' And ah used tae catch the sheep for them, and they would help me roll up at the finish if ah had twae or three fleeces lyin!

Oh, ah always got on well wi' the men farm workers. They treated me well. Oh, they never tried tae take advantage o' me because ah wis a girl, never, never. Oh, the men respected the bondagers. In these days if anybody . . . they would have got it: the men would have went for them! The women, tae – you'd use whatever ee had! Ah never had any men saying, 'Oh, you're only a woman, ye cannae do the job', oh, ah never had that. The men that ah worked wi' were sympathetic and helpful. They were always helpful. Ah never had any difficulties. There wis a bit o' teasin' and jokin', but never any nastiness, never.

Oo wis still jist the two years there at Grahamslie. As ah say, ma father wis cattleman there and, oh, he wis a good cattleman. He hadnae done that job before but he wis able tae carry on the job. But his health didnae improve. He wis off quite a lot. But there wis always somebody, there wis a spare man, an odd man, and he had tae take over. It wis ma father's health, because the steward told ma mother. He says, 'Ye know,' he says, 'it's Tom that's the bother,' he says, 'every time.' He says, 'Ah'd have kept Annie long enough. But,' he says, 'it's your husband that's the trouble.' Ah didnae feel frustrated about movin' on as a young woman farm worker. Ah didnae, because ah understood that ma father couldnae help it. Ma father couldnae help bein' ill. Ah could see their point as well as other people's.

However, we never needed tae go tae hirin' from Grahamslie either, because there were a lass, a young lass, she would be about 28, she worked at Otterburn at Morebattle. And she had a boy friend and she had fallen wrong and she had to give the job up. She was expectin' and she had tae get married. Oh, that wis terrible in these days, oh, it wis a social disgrace, it was. It didnae happen very often. The girls knew. Oh, the girls knew it wis a real disgrace if anything like that happened. So that happened wi' her. And they had heard that ah wis leavin' Grahamslie. And the young woman had said tae Miss Peggy at Otterburn, she says, 'If ye want a good worker,' well, that wis what she had said tae her, 'if ye want a worker that'll do what ye want.' Ah dinnae ken if she said 'good worker'. 'But somebody that'll do exactly as ye want,' she says, 'get Annie, 'cause,' she says, 'she's good at the job.' But they needed somebody about three month before ah wis free tae go. But they got a young girl for three month to do her work. Then ah went to Otterburn from Grahamslie. Ma parents went, too.

At Otterburn it wis cows, hens, butter and that. And ye had all these sort o' jobs, ye know, ye had the butter tae make and . . . The hens at Softlie they were great layers because they never were cleaned out hardly, and they were on the top o' a burn. Ah never cleaned them out. The farmer at Softlie sent me in tae clean them out, and that wis only once a year. And, ah mean, ye had pailfu's o' eggs, big pailfuls o' eggs tae carry. But, mind, it wis wi' them bein' on the top o' the burn. Oh, that encouraged them tae lay – there were plenty water, ye see. Oh, hens like runnin' water. And then ye had these eggs tae wash. Mind, ye had tae keep your nests. But, ah mean, they were clatchy onyway, and the eggs were always needin' washin'. It took ye ages doin' them.

But when ah went tae Otterburn your dairy, where your cows were, ye had tae be whitewashin' it, and ye had tae wash your floors out every day, and your hen houses had tae be all whitened and done out. Oh, yes, whitewashin' inside the hen houses! Oh, it wis tae keep them clean – her idea, ye see, Miss Peggy Pearson that had the farm. It wis a lady that wis at Otterburn, and she had been a great singer, a professional singer, and her voice had broken and she came there. And this wis her daughter Miss Peggy had the farm.

Oh, ah'd never heard o' whitewashin' hen houses before, never. Where cows were ye didnae always do whitewashin' them either. But at Otterburn there wis your work and that wis what ye had tae do. Oh, well, the hens didnae lay – that wis it! That's what annoyed me. Ah mean, they werenae great layers. Oh, they got the Pearsons enough o' eggs for what they wanted. But it wis Miss Peggy's interest. Ah dinnae think she wis really bothered aboot the eggs or anything else. She jist like-ed tae see everything so nice and clean.

But at Otterburn they had runnin' water as well but still the hens didnae lay. Ah don't think the hens'd like the cleanliness. However, we had turkeys as well. And ye brought up the turkeys, ye know, frae chicks. And, of course, ye had tae go and get them in if it wis rainin', and feed them up for Christmas. And then ye were always pluckin' a hen or something. Ye had a' that kind o' work tae dae. It wis quite interestin'. And pluckin' turkeys. Well, ye see, it wis a complete change for me. Ah didnae mind it.

And then ah wis quite near the village and ah went tae a' the whist drives in Morebattle, and the dances and that. Well, Otterburn wis a big house and a place jist, but ye werenae far off o' Morebattle. Well, Morebattle wis a much livelier place than Smailholm when oo'd been at Sandyknowe. Ah went to whists at Morebattle about every week.

Ah lived at Otterburn in a farm cottage. It wis much the same as the others before. We had electricity there. We didnae have a bath but we'd electricity, and an indoor flush toilet. There wis an open fire for the cooking, and ma mother had an electric cooker.

And ma father got on there fine, because it didnae matter if he wis off, he jist had tae make up his job. It wis jist a case o' hedge work and dykin'. When he'd get back again to work he jist had tae carry on frae where he had left off. They didnae bother about ma father so much. It wis mainly the woman they were after. Ah wis the one that had the job at Otterburn. Ah wis the one that had the house there, it wis me that had the house. I wis the tenant. That was the first time that had happened. By then I'd be 23.

Well, ah wis the full twae year at Otterburn. But ah decided tae get married. And ah wis 25 when ah got married in the February, and we set up house in the May and ah wis 26 in the May. Ma husband would be six or seven years older than me. So that wis 1937. When ah left the place, Miss Peggy said tae me, she says, 'I don't know why you ever got married,' she says, 'because,' she says, 'ye're great wi' hens and the cows,' she says. So that wis a compliment which ah got. So ah left home. And ma father and mother went tae Godscroft, that's in Berwickshire, near Abbey St Bathans. And he wis goin' tae dae pigs there. And they went there and we went tae Kersquarter, near Sprouston, ma husband and me.

However, I wis hired tae work at Kersquarter. It wis unusual for a married woman in these days to be hired like that. I wis hired for a year anyway. But the next year ah wis expectin', so ah'd tae give up work. And then we went tae the Venchen farm at Yetholm. Ma mother had worked there as a bondager years before, and her father had worked there, too. And for aboot five years at the Venchen ah didnae work. Ah had two bairns then and they were small and until they went tae school . . . And then their father wis made farm steward and we had tae move up tae the big house in the steadin' that wis the steward's house. Oo had tae move up there for him tae be near the farm. It wis a good enough house and, well, we had a bath there. We had had a bath in the house at the bottom as well. Well, until we went tae the Venchen ah had never lived in a house that had a bath in it – except for the farmer's house at Sandyknowe, where ah had lived in for a year. We didnae have a bath at Kersquarter either. But we wis only the two years in the bottom house at the Venchen. When we went tae the Venchen, ye see, ma husband went as a farm worker and then after two years the boss asked him tae be his farm steward.

So we went up tae this steward's house in the steadin'. But ah never liked it. But ah wis twenty-nine year there, because ma husband got on well as farm steward and ah wouldn't move. So after ah went up there and the children were both at school, the boss came and he was always askin' me tae come out and work on the farm. Ah worked on the Venchen the whole time, off and on, ah mean, and did singlin' and so on for about twenty-nine years. Ah did, off and on, because he wis always seekin iz. Ah mean, if the cattleman wis off or some o' the men off, wid ah go wi' the tractor like – the tractor driver wid be there but you had tae put the things out for the sheep. The farmer says, 'You know how tae put them out.' And ah wis always in the thrashins and everything.

But ah didn't like the steward's house at the Venchen. Because the farmer, Mr Robson, and his family came out o' the big house door and they were jist practically across the road and at your door. Ma mother came tae stay wi' us then because she turned ill and ah had tae keep her, and she often wis lookin' out the window. They had a nanny and there wis one day the nanny had said to Mr Robson, 'Ee can never go out o' this door but there are somebody lookin' out o' that window.' So of course Mr Robson said, well, he said, that wisn't good enough. So of course ah got it. Ma husband never said nithing tae him but ah jist said, 'Ah'll catch Mr Robson goin' round one day.' Ah says, 'Mr Robson.' 'What is it, Mrs Guthrie?' Ah says, 'I understand you're annoyed at us lookin' out of our window?' He says, 'Well,' he says, 'there are always somebody lookin' out.' 'Well,' ah says, 'we have a right to look out but you have no right to look in.' There wis never another word. He jist stood and looked at iz!

Oh, ah never had any bother wi' the workers livin' on farms, even workin' in the fields. And ah've heard them. And ma husband used tae send them to do jobs and they used tae curse and swear and they werenae goin' tae do this and they werenae goin' tae do that. And they always wondered why ma husband never said nothing. But, ye see, ah never carried the tales. Ah never told him anything that wis said, because ah knew it wid be me that wid ha' got the tellin' off. So ah jist listened. So there were a gentleman came. He says, 'Did you ever tell him?' Ah says, 'Look,' ah says, 'ah never carried a tale all the time ah wis there.' Ah never had a row wi' any o' them.

Oh, ma husband had quite a few rows wi' different yins, because wi' him bein' farm steward, ye know, maybe they would stop too quick and he would say, 'Now the time's no' up', and then the row wid blow up and there'd be a sweirin' match.

Ah wis once very, very angry wi' ma husband. There were another woman, Mrs Maclean, forbye me at the Venchen, she worked most o' the time as well when she could. And this day they were stookin'. The stookin' had been done but the stooks were blown down and we had tae go and set up stooks. And at that time, jist after the war, oo had German prisoners-o'-war working there. And ma husband sent us two women away wi' thir Germans. Usually there were always another man wi' us but this day there werenae, jist the two o' us were sent. And ah think there were either four or five Germans, and we're workin' away and all at once they stopped workin' and they started jabberin' away in German. And ah jist turned round tae Mrs Maclean. Ah says, 'Look, if these people are no' goin' tae work . . .' She says, 'What are ee goin' tae do?' Ah says, 'Ah'm goin' tae walk out o' here, out o' the field. But,' ah says, 'ah'm goin' tae tell them first.' So ah walked across. There was one o' them could speak

English, quite a nice lad. 'Now,' ah says, 'look: if you people are not goin' tae work and if ye're goin' tae stand jabberin' there,' ah says, 'we're walkin' out. And,' ah says, 'ye'll know what'll happen then.' Ah says, 'You'll get intae trouble. So,' ah says, 'either work or what are ye goin' tae do?' They started tae work and oo had no more bother. But when ah went home that night, 'Now,' ah says to ma husband, 'never, never again.' Ah said, 'Had you no sense then, sendin' us away wi' these Germans?' Ah says, 'It wasn't right.' Ah mean, ah wasn't a bit frightened, neither was Mrs Maclean. But when they started jabberin' ye didn't know what they were sayin', and it wasn't nice. No, it wisn't nice at all.

Well, ah worked on farms for over 40 years althegither, from the age o' fourteen when ah became a bondager tae ah got married when ah wis 26, then for a year or more at Kersquarter, and then at the Venchen for about 29 years. And then as soon as ma husband wis retirin' age ah said ah wis leavin' the Venchen, because your house wis jist lookin' intae the big house and ah never liked it. They wanted tae give him the house at the Venchen. Oo could ha' got the house and stayed there. Ah said to ma husband, 'Well, ee can stay but ah'm leavin'.' Ma three children were all workin'. This was about 1969.

So we left the Venchen and we came tae Kippilaw near Lilliesleaf, to Lord Napier, well, his uncle, the Honourable Napier and the Honourable Mrs Napier.[29] They didn't take ma husband the first time we went tae see aboot the job. And then we'd got a chance tae gaun somewhere else, but ah wisn't keen on that job because ah didnae care for the lady. However, oo got this letter sayin' that the Napiers had decided they were goin' tae take ma husband because Commander Napier had been so taken on wi' ma husband's car, it wis so clean. But they werenae goin' tae hire *him*. Ah wis tae be hired tae work in the big house and that. And of course we went tae see, and ah said, 'And what . . . ?' 'Oh,' she says, 'your wage . . .' Ah said, 'Ah don't want the house for a wage.' Ah says, 'If ah'm goin' tae be workin hours ah've got tae get something for a pay.' Because ah knew if ah'd taken the house as a wage ah'd be workin' all hours. But ah knew if she had tae pay ah wid jist have ma two hours every day. Ah says, 'Ah don't much care what it is.' Ah think ah got four shillins an hour.

And oo got on fine and ma husband got on well wi' Commander Napier's wife because he could do the horses, and she had a lot o' horses – hunters. And he got on very well. But the only thing she interfered wi' me once wis three minutes. Ah put three minutes, she thought, more than ah should have put in. So ah said, 'Right, we'll get a book and,' ah says, 'every time ah come through the door ah'll mark the time down, and when ah go out ah'll mark it down again.' And oo got on fine.

Well, ye got the breakfasts tae cook. Ah had Commander Napier's breakfast tae cook every mornin' and suchlike. And ah got on great. The Commander wis the uncle o' Lord Napier. Well, then Lord Napier wis comin' and they were goin' tae have a party. And the Commander said, 'Well, can you . . . ?' Ah says, 'Oh, no doubt ah'll manage tae cook what ye're wantin'.' And ah said ah think ah wid manage but, ah says, 'There's one thing ah've never done: set a table.' 'Oh,' he says, 'don't worry.' He says, 'Ah'll set the table.' So he did. Ye know, they had a' the different forks and knives and spoons, and a' the wine glasses and everything. And ah got on fine wi' that cookin'. Everybody wis amazed, because they said, 'Well, ye've never cooked before. How d'ye think ye're goin' tae cook for them?' But ah wis interested in cookin' and ah'd been cookin' at home a' these years.

And then ah turned very ill and ah wis in Peel Hospital for six weeks. When ah went in ah wis under heavy sedation for three days. And when ah come back – ma husband didnae tell me in hospital for worryin' me, ye see – but Mrs Napier must ha' said tae ma husband if ah wisnae goin' tae be able tae do ma job he would have tae move up intae another house and give the house for another worker. And it wis the best house ah wis ever in. It wis a beautiful place: all mod. cons there, bath, electricity, everything. And then when ah come back from hospital she come in one day. She said, 'Mrs Guthrie, ah understand ye're not goin' tae be able tae work?' 'Oh,' ah says, 'ah don't say that.' Ah says, 'The only thing ah won't be able tae do is carry in coals and suchlike. But,' ah says, 'ma husband could dae that.' 'Well,' she said, 'ah'm afraid ye'll have tae move up intae the other house.' And ah jist says, 'Well, Mrs Napier,' ah says, 'if ah'm goin' tae move,' ah says, 'it'll be that way – out the gate – not that way to the other house.' And she jist looked at me and she says, 'You mean that?' Ah says, 'Certainly.' However, ah started workin' again and there were no more said. 'But,' ah says to Mrs Napier, 'look,' ah says, ' ah tell you what. We'll put in for a rented house either at Newtown or St Boswells. And,' ah said, 'oo'll go there,' ah says, ' providin' you say that we're needin' a house.' Which she did. We had been at Kippilaw four years. And so we came here to St Boswells. We came to the house in the September. But two month before we came she hadnae anybody for the horses. And she asked us if oo'd stay. And ma husband worked there at Kippilaw even after we moved to St Boswells, until he wis eighty years old, doin' horses and suchlike.

When we came to St Boswells ah wid be 61 or 62. But ah didnae retire then. Ah went across tae Newtown, tae the council offices, and ah said ah'd like tae be a home help. And the lady says, 'Oh,' she says, 'Mrs Guthrie, ah'm afraid we don't take them over sixty.' 'Oh,' ah says, 'that's fine.' Ah wis walkin' oot through the door: 'Mrs Guthrie!' And ah went back and she says, 'You're walkin' as quick, as smart there as a forty-year old.' She says, 'Ah'm goin' tae hire ye.' So ah wis fourteen year a home help. Ah wis 75 when ah finished home helpin'.

So ah worked 61 years in the fields and then doin' domestic work. But, oh, ah liked the home help job best. Well, ye were meetin' different folk and ye were helpin' folk. Some o' them wis very ill, ye know. And ah remember it wis the doctor, ah think, that had said there was a lady and she had malnutrition. And she had had a few home helps, but it wis no use. So the supervisor said, 'Mrs Guthrie, ah wonder if you would go?' 'Oh,' ah says, 'ah'll have a go.' So ah went. But when ah went ah gave her her breakfast. 'Ah'm no' wantin' that,' she said. 'Oh, but,' ah says, 'ye'll have tae have your breakfast.' 'If you take a cup o' tea wi' me ah'll have ma breakfast.' So ah had tae sit down and take a cup o' tea wi' her and she would have her breakfast. Right, she'd get her dinner – she got meals on wheels. But she wouldnae eat it. She didn't like the meals on wheels. She wouldnae have them. So in the middle of the day ah would give her soup. Ah made a lot o' ma own soup, and she loved the home made soup. And ah used tae take her some up. And she wid buy a piece o' meat for tae make soup, and ah'd take her a piece o' the meat up and keep the rest. That wis for makin' the soup and givin' her it, ye see. So ah got her on takin' soup and maybe a roll or something, ye know, along wi' it. And then at night ah wid go up, and of course there were meals on wheels there in her kitchen and they were nice potatoes, and ah used tae give them a brown up and do something with them. 'By, that wis nice. Ah did enjoy it,' she'd say. She had no idea it wis her meal before. She'd eat it up. So she gradually put on weight. And her leg – she'd always a runnin' leg – it healed and she wis right. Well, ye see, she hadnae been looked efter properly.

Well, the doctor says, 'You'd have made a great nurse.' And, of course, as ah've said, ah wanted always tae be a nurse when ah wis young.

But ma first home help job was another old lady. Her daughter lived there and her and her daughter didn't agree and she said would I go tae her. She wis one o' these old fashioned ladies that jist flew at anything that wis wrong, ye know. However, ah went and ah got on great wi' her. She wis really a very grateful person and a very nice person. But there wis one mornin' ah slept in, and it was eight o'clock or ah went. And by then ah should have been and had the fire lit, ye see. And she wis up and she had no fire. And of course when ah went through the door: 'Ah'm no' puttin' up wi' this! Ah'm not havin' it! Ye'll hae tae be here on time! Now ah'm not havin' it! It'll not do!' Ah never let on ah heard her. Ah got the fire lit and the flames goin' and everything. And a' at yince: 'Ah'm awfy sorry, hen.' And she patted iz. 'Well,' ah says, ‘ if ye’d only waited,’ ah said, ‘ah’ve no’ had ma breakfast. Ah slept in.’ ‘Ye’ll jist go and make the breakfast and we’ll have it together.’ And ah wis her home help until she died. And ah wis wi’ three other women and other different yins as well. Fourteen years ah wis a home help.

Lookin’ back on farms now, oh, they’re no’ the same, they’re no’ the same at all. Ma son, he’s on the farm at Spylaw, he’s a cattleman and he loves the work. But that is a very big farm. The farmer has three or four different farms and it’s all tractor work, ye know, all the time. But they get a lot o’ workers in. They get workers in for their tatties, and they get workers in for a’ the different jobs. But there are jist three or four workers. At Sandyknowe and Grahamslie when ah worked there there were ten or fourteen or twenty workers. Well, this is where they’re no’ gettin’ their work for their people, ye see. The tractors and things are all takin’ over. It’s not the same.

Oh, when ah wis a bondager and worked on the farms it wis a satisfyin’ kind o’ life. Oh, in the harvest field, ah mean, especially Sandyknowe – there were so many young ones there – that it wis great really.

Margaret Moffat

Well, ah bade in domestic service at Girrick until oo went tae Bankheid, ee see. Ma father worked on the roads. When we lived at Eckford, well, ma brother Dan worked at Crailin' Tofts ferm, and the other yin – George – worked at Mos-stower ferm. And then, ee see, this job came up at Bankhead ferm and the fermer came tae see Dan and George and he hired them. Oh, the whole faimly went then tae Bankheid, ma mother and father, ma brothers and me and ma sister, well, she wis at the school then at Linton. And ma father worked on the roads still when he went ower tae live at Bankheid ferm. He never worked on the ferm.

So ah wis hired then as a bondager tae work at Bankheid ferm wi' Dan and George. Ah wis never asked when Dan and George were hired at Bankheid. They wanted somebody, ee see, jist if they had a wumman tae work on the farm. Oh, ah wisnae consulted. Ma brothers wouldnae get away wi' that nowadays, they widnae! The fermer came frae Bankheid tae see Dan and George and he hired them. But ah never seen the fermer till ah went tae start work at Bankheid ferm. But when ah wis hired wi' ma brothers and ma mother says tae the fermer, 'Well, what aboot, ee ken, the worker, the wumman worker?' 'Oh,' he says, 'if she hasnae a widden leg it'll be a' right.' But, oh, ah didnae bother because we were jist a' joined in wi' yin another, ee see, ah didnae mind.

Ah had five brothers and three sisters. There were nine o' us. Well, ma oldest yin wis John, then Mary, George, Will, Jean, Dan, maself, Agnes, and Tom. Oh, there wis a big lot o' years passed between John and Tom, oh, it wid be twenty years. John wis already a young man when Tom wis born. So no' a' ma brothers and sisters lived at home at the yin time, they didnae. John wis married and Mary and Jean. John worked as a forester wi' the Buccleuch estate. He worked whiles at Eckford, ee see, and then he went tae Bowhill. He worked wi' the Buccleuch estate, and so did ma father, ee see, when he wis at Eckford.

John wis away tae the First World War. He wis conscripted. He wis in the army, the K.O.S.B.s. Well, he had a wound. He had shrapnel in his leg. But, ee ken, it didnae stop him. And then George wis away at the war. He wis ca'ed up, tae. He wisnae in the K.O.S.B, ah cannae mind what he wis in. He survived the war. Ah didnae lose any o' ma brothers in the war. But they wis the only twae in the war. The others were ower young at that time. 'Twis that, ee were young and ee jist didnae remember. And, ah'll tell ee, ee didnae take the same interest as what ee dae now at things!

Ah wis born at Eckford aboot 1906, October the 5th. So ah'm comin' up tae 91.

Well, as ah say, ma father wis a forester at Eckford. He belonged, well, mair or less up at the Roxburys, ah think. He wis aye in the Roxbury area. But ah couldnae mind where he wis born. His name wis George Borthwick. He never worked on the farm, but efter we left Eckford we went tae Bankheid ferm. Well, ma brothers Dan and George worked there, as ah say, and so did I at Bankheid. And ma faither jist started workin' on the roads – county roadman. It would be after the war ma father died, it would be in the 1950s. Ah really cannae mind. Mind, his name wid be on the heidstane up there in Morebattle churchyard. He's buried in the Morebattle churchyard, and so is ma mother.[30]

I've nae idea what ma mother did before she wis married. She never worked on the ferm. She might have been a domestic servant or something like that, but she never worked on the ferm. She never mentioned her job. Ah think she belonged the Roxburyshire an' a'.

On ma mother's side ah can mind o' ma grandfaither, but ah cannae mind o' ma granny. She wis dead. Well, ah think ma grandfather wid work on the ferm, oh, he'd be a ploughman or something. He widnae be a shepherd. Ah think he jist worked on the ferm.

And ah cannae mind o' ma grandfaither Borthwick. He wis dead before ah wid ever remember him. Ah have nae idea what he did for a living. Ee see, ah often thought efter: ma cousin wis in Kelsae and ah should have asked her. But, ee see, thae things passes and ee never bother. And ah dinnae mind o' ma granny Borthwick either. She wis dead, too.

Well, when oo wis at Eckford ah lived in the forester's house. It had three rooms and a livin' room and the kitchen. Ma parents slept in the kitchen. They had tae have a bed in the kitchen because there werenae room for oo a'. And me and ma sisters oo had a room tae oorsels, and ma brothers had a room tae theirsels.

Oh, at Eckford we jist had paraffin lamps. There were nae electricity then, jist the paraffin. It wis a dry toilet oot at the back o' the hoose. The toilet wis for jist eer own family, oo had oor own toilet.

Water, well, ee had tae cairry it in and cairry it oot! There wis a pant in the middle o' the village at Eckford. Yin o' thame that ee pumped up. And another yin, like the tap. There's yin doon in Morebattle now, there's a tap standin' doon there now, and that wis the kind that wis in the village at Eckford. There wis the twae at Eckford, ee ken. There wis yin ee had tae pump and the other yin ee didnae. Well, oo maistly used the one that oo jist turned on. They were a' in the middle o' the village, both thegither. There were nane near oo. Ee ken, ee had tae gaun away a bit. Well, oo'd had tae gaun maybe twenty yards. Oh, it wasnae that far.

Ma mother did the cookin' jist on a fire, up on an open fire. Well, there wis an oven, and a boiler at this end, a wee boiler. Ee did a' your work on that open fire – washins and everythin'. And there wis a boiler ootside that she could pit on for the washin'. It wis at the back o' the hoose, jist this boiler at the back. Ee ken, it wis ootside. There wisnae a washoose, ee jist did a' your washin' in the hoose.

Oh, well, baths, oo jist had oor baths, ee ken, jist a tin bath in front o' the fire! Oh, different times ee had a bath, jist when ee needed it.

At Eckford, ee see, there's a raw o' cottages. Well, that raw o' cottages and the blacksmith's hoose wis there, jist as ee gaun in tae the village, ee ken. And along here wis the four cottages. Well, there were four cottages and then there wis the blacksmith's. The blacksmith's shop and the joiner's shop was both thegither. And the next yin, as ye gin intae the village like, wis the blacksmith's hoose. There wis the blacksmith's hoose, but the blacksmith's shop wis across the road. Then the yin across the road frae the blacksmith's wis the post office. And then there wis another yin further doon the road. It stood on its own. When oo wis there at Eckford it wis Andrew Wood lived in that hoose. He wis the gairdener and he worked doon at Mosstooer at the hoose. So there wis jist thae hooses at Eckford when oo lived there. And then up the road there wis the police station. So there wid be nine hooses a'thegither then.

Ah wis born, as ah say, at Eckford and maist o' ma brothers and sisters wis born there. Ah think ma auldest brother John wisnae born at Eckford, but ah dinnae ken. 'Cause ah think ma mother wis aboot a hoose at Softlie at the road end. It wis a road end at Softlie she used tae talk aboot. Ah think ma auldest brother wid be born there. But ah think the maist o' oo were a' born at Eckford. Jist born in the hoose – there were nae hospitals then – and your neighbour jist, well, ma mother's neighbours, jist had tae come in and helped.

Oh, well, ah wid be five year auld, ah think, when ah went tae the school at Eckford. It wis jist up the road. There wis two teachers at the school, and two rooms and two classes. Mind ee, they had big classes. Oh, there'd be quite a lot o' scholars. Oh, there wid be thirty or forty. Ee see, they were big clesses. Ah dinnae think there'd be ony mair as fifteen or twenty, but there wid be fifteen.

The headteacher wis a man Mr Swanson, and the other wis a woman. Oh, ah quite enjoyed the school. Oh, some things ah wis guid at and other things ah wasnae guid at! Ah wis nae guid at the drawin'. Oh, well, ah wisnae bad at arithmetic and things like that. Oh, ah liked tae write and ah liked tae read poetry and things like that. Ah wisnae a keen reader as a girl. The books they were jist in the school. There wis nae libraries, there were nae libraries at a'. The school had books ee could borrow as a scholar and ee could read them at hame. Oh, ah liked story books, ee ken, girls' stories. Ah never got a comic at home, because, ee ken, well, ah dinnae ken, we jist seemed that oo had plenty other entertainment.

Well, when ee wis at school ee jist played different games, ee ken, in the playground. Oh, well, oo'd tig and, oh, skipping, peevers, hopscotch, that sort o' thing. Ee see, ye entertained yersel' at school. Now they hae tae have more their entertainment made for them. Then ah had a peerie and a gird. Oh, well, there wis always something tae dae in the evenings, and oo were jist ootby playin' the same sort o' games, hide and seek, and so on.

Then ah used tae knit, whiles a scarf, ee ken, or something like that, gloves or socks. Oh, ah did sewin' but ah wasnae sae keen o' the sewin' Ah could sew buttons on and things like that. Ah didnae do embroidery, no' very much. Ah wasnae interested in that. And then we helped ma mother jist tae do washing dishes and things like that. We had wee jobs tae dae in the hoose. Oh, well, we had the dishes tae wash and things like that, ee ken. Ah helped ma mother wi' the dustin', sweeping, cairryin' the water. Oo had tae fetch the waeter in the pails, well, twae pails o' waeter. And ee had a gird and it took the wight off eer shoulders. Ee jist laid the gird ower the pail and ee lifted the pail. Oh, it wis quite heavy tae cairry twae pails o' waeter, but ee managed fine. Ee hadnae that far tae gaun, ee hadnae far tae gaun at a'. Ah didnae help ma mother wi' the cookin'. She usually did a' the bakin' and the cookin' hersel'.

Ah didnae join Brownies or Guides, there were Brownies, ah think, or Guides or something, but ah never wis at them. It didnae interest me. There wis nothing else at Eckford, nothing at a'. But ah went tae Sunday School. And efter the Sunday School oo went tae church – Eckford Church o'

Scotland. Ma parents went tae church more or less every Sunday. Oo went tae Sunday School in the mornin' and then went tae church jist after the service. Ee had the Sunday School first and then the church every Sunday. Oh, ah didnae mind that.

Ah mind o' tramps comin' tae Eckford. Ah mind o' Yorkie. Well, Yorkie the tramp, he yaised tae jist traivel roond, ee ken, and jist on the roads. Oh, well, he had a collie dog, and he jist aye had a pack on his back and he traivelled the roads. He had a stick. He wis a kind o' stootish man. He'd be a Scotsman, ah think. Ah dinnae ken why he wis called Yorkie, ah dinnae ken how he got his name! Oh, he yaised tae come tae ma mother's door for pieces.[31]

And then there wis Puzzle Bobby. He wis ca'ed that because he made puzzles wi' metal, puzzles, ee ken, wire. It wis a certain kind o' wire, ah think. Ee couldnae bend it. He must hae had somethin' that he din it wi' but ah couldnae tell ee what he had. He usually had the puzzles made, ee ken, before we seen them. Puzzle Bobby he wasnae very big, quite short. Ah couldnae tell ee if he wis a Scotsman or what he wis. Ah dinnae think he wis an Englishman. Oh, well, ah dinnae ken how often he wid come in a year. He traivelled aroond and aroond, ee ken.

And then there was what they ca'ed Bet the Boar. Oh, she wis an awfy wummin her. Ah dinnae ken sae much aboot her, ee ken. She didnae come tae Eckford sae often. But she wis an awfy wummin, oh, she wis an awfy wummin tae sweir and everything. She wisnae a' that big, jist normal size. She jist travelled the roads an' a'. She jist traivelled roond like a' the rest. Oh, she'd be roond aboot twae or three times a year. Ah think mair o' her time would be up aboot the Boswells wey. Oh, she'd nae man. She didnae have a dog wi' her, she'd nithing, jist hersel'. She'd a pack on her back. Oh, old clothes, jist whaever she could borrae frae folk, ee ken. That's jist what she would wear. Oh, she would come for a piece if she wanted yin. Oh, Bet the Boar spoke tae me and the other bairns. But oo never bothered wi' her because she wis sic a wummin tae sweir. Oo never, ee ken, oo never bothered wi' her. Ah dinnae think ma mother bothered tae tell us tae keep away frae Bet the Boar, because ma mother kent fine oo widnae bother.

Willie Norris, ah've seen him, ee ken, now and again. Well, he wasnae sae much the trampin'. He traivelled jist roond aboot, right enough. But he belonged Yetholm. Well, he made tin bottles and things. He wis mair o' a tinker, ken, he yaised tae make thae tin bottles that ee used tae cairry your tea in, wi' the cork. Oh, when Willie Norris came he had a wummin wi' him. Ah dinnae ken whether it wis his wife or no'. She came roond the doors wi' him, but he wisnae yin that wis aye jist on the beggin'. He wis jist tryin' tae sell something.

Oh, the tramps called at the doors. And then if they wanted a piece or onything, oh, ma mother gave them a piece. They used tae get a piece when they came. Oh, ma mother aye gied them a piece whenever they came tae the door. It didnae maitter whae it wis. Then there were different yins but ye didnae ken them the same. They jist came now and again. But Yorkie and Puzzle Bobby they came regular. They yaised tae live quite a lot roond aboot, ee ken. Ah couldnae tell ee where they lived. Ee see, the maist o' thame yins that travelled jist went intae barns and things like that. They didnae have a hoose or onything. They were jist tramps. Oo ca'ed them the tramps. Ah dinnae think any o' them lived at Eckford, unless they lived oot on the ferm places, ee ken. There wis naething for them tae bide in in Eckford, nothing.

Ah cannae mind ony mair tramps that came roond. They wis aye the main yins. Ah dinnae think there wis ony other yins. These were the main yins that came roond when ah wis at the school. Oh, oo often seen them then.

Well, when ah wis a girl ah often thowght ah wid like tae have been a nurse. But, ee see, well, in thae days ee had tae work because ee had tae help the family out. Ah'd be fourteen when ah left Eckford School. That wid be aboot 1920. And that's how ah started, well, ah wis workin' oot. Well, ma first job wis bein' a servant ower at the manse, wi' the minister at Eckford, Reverend MacLaren. Oh, well, ee ken, the minister's wife wis wantin' somebody. And ma mother said, well, she wanted somebody jist tae gaun ower, 'But, oh, she's an awfy bisom.'[32]

Ah bade in the hoose, the manse, ee see. Ah had tae get up early in the mornin', aboot five o'clock. Well, ee jist started tae work whenever ee got up at five o'clock. Ee did the hoose work, cleanin' and hoose work, ee ken, washin' the dishes. There wis somebody else did the cookin', another yin along wi' me did the cookin'. There were jist the two o' us servants: a cook and me. Ah did the housework, sweepin', polishin, and, well, ee had the bedrooms tae dae and the bits that ee had tae dae.

Ah had a wee bedroom tae live in, jist a wee bedroom, no' very much in it. There were a windae in it, and jist a bed and a chair.

Well, aboot six o'clock or thereaboot, efter ee'd been workin' an hoor, ee had eer breakfast and a cup o' tea and that wis it. Oo jist had it ta'en and started tae work again. There were nae set times. Well, usually aboot one o'clock or thereaboot ee got eer lunch. We got oor food in the hoose, ee didnae have tae pay for it. Oh, well, the food it wid be a' different kinds, ah think. Och, there wis aye plenty. We never felt hungry. At breakfast, we got, well, jist maybe a bit bacon or something, porridge. Then at lunchtime ee got two courses, soup and meat, potatoes. Some days ye'd get soup or something. Then ee worked on a' efternin. Oh, well, oo stopped a wee while, ee ken, in the efternin' for a cup o' tea. Oh, well, maybe aboot the back o' three or half past three, but no' in the mornin', oo jist kept on then. Oh, ee'd get a cup o' tea, but that wis a'. Then efter eer efternin tea ee worked on again till they had their tea theirsel', ee ken, at teatime, oh, well, maybe the back o' five or somethin'. Well, the cook wis there but ee had tae set the tea oot in their dinin' room. Ah set the table. The cook served the food tae them. Then ee got eer evening meal. You put theirs through and, well, ee jist had yours after ye had theirs through. Ee had yours on your own. Then ee jist washed up efter teatime and that wis you finished for the night maybe aboot half past six, ah think. And that wis your night tae yoursel'.

So ah wis workin' from five o'clock in the mornin' till half-past six at night. Ye had eer break for your breakfast and, well, oo'd aboot half an hour for lunch, and then five minutes' break in the efternin for a cup o' tea. That wis every day in the week. Well, ee could get an efternin off. Oh, well, jist what efternin suited them, ony day. Ee worked on a Sunday the same as ony other day. So ee were workin' seven days a week for aboot thirteen hoors a day, minus the time for eer food.

Ah jist cannae mind how much it wis ee were paid. But, mind ee, we werenae paid big wages then. Ah often say oo wis paid wi' peppermints! Ah gave the wage tae ma mother, ma whole wage. Well, she jist gave iz something back if ah wanted clothes or onything like that. But ma mother got a' ma wage, because, well, or ee got everything bought, ken. Oh, ma mother wid buy ma things. Oh, sometimes she gave iz money o' ma own. Well, it would maybe be Jedbury or Kelsae when oo were at Eckford that oo bowght oor claes. But efter oo came tae Morebattle, well, like Bankheid and Frogden, the draper wis in Morebattle village: Bill Lothian. And oo a' got oor claes there, becis if ee telt him what ee wanted he could jist exactly gie ee the very thing ee wis lookin' for.

Well Reverend MacLaren at Eckford he wis a nice enough man, but she wis an awfy yin, ee ken. She wisnae an agreeable person. She liked tae see me workin' away. Oh, she kept drivin' ye on! She'd aye find a job for ee! She didnae like tae see ee daein' nithin'. But ah didnae bide awfy long there. Oh, ah dinnae ken how long ah wis there, jist months. It wis less than a year. Ah wis away frae Mrs MacLaren before ah got another job. Oh, ah dinnae ken why ah gave up that job afore ah got another yin. It wis jist the way she'd treat ye, ah think. Ah didnae want tae cairry on at the manse any longer. She wis awfy . . . She wis a kind o' domineerin' kind o' body. Ah wisnae very long till ah got another job, jist a few days and ah wis away tae another job.

Well, ah got a job at Girrick – a ferm hoose. It's jist beyond Nenthorn, the other side o' Kelsae frae Eckford. Well, there wis somebody lookin' for somebody. Ah went cyclin' there, ee had tae cycle tae get the job. It wis a ferm hoose, he had the farm there but the fermer didnae stay there. It wis his sister-in-law that wis his hoosekeeper, and they had the tattie merchant business at Newcastle wey – Sanderson wis his name. So his sister-in-law, the housekeeper, wis lookin' for a girl tae help wi' the housework and ah heard about this and cycled over tae Girrick.

It wis when ah started tae work at Girrick ah got ma cycle. Ma mother bowght the cycle for me. Och, ah used tae cycle roond the countryside. Efter a', ken, ah used tae gaun and see ma brother and thame. John bade at Dumfries, and Wull lived oot at Riccalton and away ootby, away oot the Hounam wey. Wull worked on the ferm there. So ah used ma cycle tae go there. Often ah cycled intae Kelsae. Ah cycled mair intae Kelsae than ah went wi' a bus. Well, there were jist the buses belongin' Jack: they went twice a week. He come up in the mornin' and went back, and he would come up at night and then gaun back. But, oh, ah liked cyclin' fine. It wis a good wey o' seeing the countryside. Oh, ah often biked take Kelsae. And ah often biked tae see ma sister Jean away up at Houston, up at Mount Ulston. Ee went up by Crailin' Tofts, Crailin', away through up that wey. Oh, ah enjoyed cyclin'. And, oh, sometimes, no' always, ah went away cycle runs wi' ma friends.

Ah jist worked in the hoose at Girrick. But ee stayed there, ee lived in. But ee had your days off, ee ken – often a Sunday and often through the week. Ah jist bike-ed there and back on ma day off.

Well, at Girrick it wis jist hoose work a' the time, much the same as at Eckford. Oh, it wisnae sae quick a start in the mornin' – maybe aboot seven o'clock or thereaboot. Ee got up afore seven and started work at seven. Oh, the work wis jist the same as at Eckford. But, ee see, well, there wis jist the housekeeper, jist oor twae selves. Oh, gosh, ah cannae mind the housekeeper's name now. Oh, ah got on fine wi' her. Well, we jist had oor meals thegither. Oh, she wis a different person a'thegither frae Mrs MacLaren.

Oo finished work, oh, well, jist efter oo had oor tea, aboot

1. Three bondagers wearing their distinctive headgear, at Cornhill-on-Tweed in 1908–9. From left to right they are: B. Johnston and two sisters, L. and K. Wastle. Courtesy of Scottish Life Archive, National Museums of Scotland, and Mrs Short, Galashiels.

2. Nine bondagers with their characteristic hats and dress, and a group of men farm workers, at Rutherford, Roxburghshire, in 1898–9. Scottish Life Archive, National Museums of Scotland, and Mrs Anne Scott, Melrose.

3. Bondagers and men farm workers, c. 1900, place uncertain but probably at Broughton, Peeblesshire. Scottish Life Archive, and Mrs Smith, Broughton.

4. At least two bondagers with their distinctive headgear are among these workers, c. 1900, at Woolmet farm, Millerhill, Midlothian. Scottish Life Archive, and Midlothian Libraries.

5. Five bondagers with their uglies or hats at work with men farm workers on potatoes at West Pilton farm, Edinburgh, c. 1910. The man third from left with the soft hat is the farm grieve or steward. Scottish Life Archive, and Mr James Watt, Currie.

6. Two bondagers at work at the leading-in of the harvest, place uncertain, early 20th century. Scottish Life Archive, and Henry W. Kerr, RSA, RSW.

7. Bondagers working in a potato field, place unknown, early 20th century. Scottish Life Archive, and Mr James Bryce, Edinburgh.

8. Bondagers stooking grain sheaves, place unknown, early 20th century. Scottish Life Archive, and Mrs Anne Scott, Melrose.

9. Two bondagers and men and boy farm workers preparing straw, place unknown, c. 1890s, for thatching corn stacks. Scottish Life Archive, and Mrs Anne Scott, Melrose.

10. A woman farm worker who won a turnip-singling competition at Whitekirk, East Lothian, in the 1920s. Scottish Life Archive, and Mrs Cockburn, East Linton.

11. A group of bondagers with two children, at Hedderwick Hill, West Barns, East Lothian, c. 1927. Scottish Life Archive, and Mrs Anne Gordon, St Boswells.

12. Bondagers and men farm workers hoeing turnips at Hedderwick Hill, West Barns, East Lothian, in the 1920s. Scottish Life Archive, and Mrs Anne Gordon, St Boswells.

13. Bondagers and men colleagues at Hedderwick Hill farm, East Lothian, 1920s. Scottish Life Archive, and Mrs Simpson, St Boswells.

14. A group of bondagers of varying ages, and two men farm workers, c. 1920s, place uncertain but probably in the Lothians. Scottish Life Archive, and Mrs G.G. Smith, Peebles.

15. Women farm workers and men colleagues, place and date uncertain, but probably 1920s in East Lothian. Scottish Life Archive, and Mr Allan Hamilton, Edinburgh.

16. Bondagers and two men workers hoeing, place uncertain, probably 1920s. Scottish Life Archive, and Mrs Anne Scott, Melrose.

17. Several bondagers are among this group of farm workers at a thrashing mill driven by the steam engine, place uncertain but proably in Roxburghshire, c. 1920s. Scottish Life Archive, and Mrs Anne Scott, Melrose.

18. Bondagers at work on a farm at Port Seton, East Lothian, c. 1920s. Scottish Life Archive, and Mr Allan Hamilton, Edinburgh.

19. Four bondagers (left to right: Betty Kerr, Bessie Macvicar, Janet Easton, and unknown) with men colleagues, at Langshaw, near Galashiels, in 1933. Scottish Life Archive.

20. Mary Hall, a woman farm worker all her life, photographed c. 1920s–30s at Hedderwick Hill, West Barns, East Lothian. Scottish Life Archive, and Mrs Anne Gordon, St Boswells.

six o'clock. It wis a shorter day than at Eckford. Ee worked seven days a week at Girrick, tae. Sundays, ee whiles had a day off on a Sunday and a half day through the week, well, mair or less, either a half day or a full day. It depended on what time ee got away. But if ee got a half day ee often got the Sunday off as well. And if ee got a full day off in the week, oh, ee got the Sunday off as well. Well, on ma day off ah usually come hame tae ma mother and jist did a bit job, ee ken, at hame. Well, if there wis onything tae dae ah jist gied ma mother a hand. And then ah cycled back tae Girrick at night. It didnae take ye long tae cycle, but, oh, well, ye'd need tae mind ye went away in decent time tae be down there afore it wis dark. Oh, jist aboot an hoor it wid take ye jist, back and forrit. It wis a right hilly road but, ee ken, nae bother.

Ah cannae mind what ah wis paid at Girrick. Ah worked a while there, oh, maybe a couple o' years or so. Oh, ah like-ed the work at Girrick, ah like-ed the work. And they were quite nice. Ah mean, Sanderson that came that had the ferm, and his sister-in-law the housekeeper, they were both very nice people. Well, when ah had tae leave Girrick the housekeeper jist said, ee ken, she wis vexed that ah wis leavin'. But ah telt her what ah wis leavin' for. So she quite understood.

Well, ah bade in domestic service at Girrick until oo went tae Bankheid, ee see. Ma father worked on the roads. When we lived at Eckford, well, ma brother Dan worked at Crailin' Tofts ferm, and the other yin – George – worked at Mosstower ferm. And then, ee see, this job came up at Bankhead ferm and the fermer came tae see Dan and George and he hired them. Oh, the whole faimly went then tae Bankheid, ma mother and father, ma brothers and me and ma sister, well, she wis at school then at Linton.

So ah wis hired then as a bondager tae work at Bankheid ferm wi' Dan and George. Ah wis never asked when Dan and George were hired at Bankheid. They wanted somebody, ee see, jist if they had a wumman tae work on the farm. Oh, ah wisnae consulted. Ma brothers wouldnae get away wi' that nowadays, they widnae! The fermer came frae Bankheid tae see Dan and George and he hired them. But ah never seen the fermer till ah went tae start work at Bankheid ferm. But when ah wis hired wi' ma brothers and ma mother says tae the fermer, 'Well, what aboot, ee ken, the wumman worker?' 'Oh,' he says, 'if she hasnae a widden leg it'll be a' right.' But, oh, ah didnae bother because we were jist a' joined in wi' yin another, ee see, ah didnae mind. Oh, folk wadnae dae't now, they widnae dae't now.

Well, at Bankheid, as a bondager ee had tae work on the hay and the harvest and singlin' turnips and shawin' turnips. They wis the main jobs ye had tae dae when ah started. Ah wis seventeen when ah started.

Ee started at six o'clock in the mornin'. And then they had the horses, ee see, and ee stopp-ed at eleven o'clock tae one for your meal – but that wis tae gie the horses a rest. They were mair important than us! And then we sterted at one o'clock again tae five. And ee worked six days a week, Seturday an' a'. Ee never got a holiday on a Seturday.

Ee never got holidays. Ee worked a' the time. There were no holidays on the farm then. Ee got New Year's day but that wis a'. Oh, likely we wad be paid for New Year's Day, but ah dinnae ken. Well, a hirin' day ee could maybe have a holiday. But if ee werenae gettin' hired ee didnae get away. Ee bade at hame! Ee only got a holiday if ee wis lookin' for another job. But there weren't a holiday at a' in the summer.

Oo had oor breakfast afore oo went oot in the mornin'. Oh, oo wis up early in the mornin' and ma mother, tae. Usually she gave us . . . Well, oo had a' oor bacon within oorsel', ee ken. Ee got a break in the mornin', maybe eight o'clock. Oo had tea oot a wee bottle, it wis jist yin o' thae tin bottles. And a piece.

Oh, oo kept a pig. Oo bowght that oorsel'. Oo had a cow an' a'. Oo got a cow for the milk. Well, the cow wis kept. Ee had tae buy it yersel' but, ye ken, ah mean, it wis kept for the feedin' for a pert o' oor wages. We hadnae hens at Bankheid. But, well, ee got so mony taitties. Ah cannae mind now how many. They were in the field. Ee had the gairden taitties eersel', but then ee got so mony taitties towards your wage. And then it wis cut oot a'thegither, after ah'd been workin' a few years. Efter a few years there were nae tatties provided, ye never got your tatties. And the hoose wis free at Bankheid, that wis extrae tae your wage.

Ah cannae mind how much ah wis paid when ah started as a bondager at Bankheid. That wid be aboot 1923.

Ah didnae drive a horse at Bankheid very often. But ah've seen iz have a horse when oo wis at Bankheid if oo were gaun tae lay doon turnips or something – now and again, but not often. Ah didnae have a regular horse tae look efter, jist for odd jobs. Ah wisnae nervous aboot horses, ah didnae mind.

Ah cannae mind how mony workers there wis at Bankheid. There wis three o' us – Dan, George and masel' – and there wis three in the next hoose. And there wis the steward, ee see. He wis jist hissel'. Then there were the shepherd and the cattleman separate, ee ken. Well, there wis three ploughmen. Ma brothers George and Dan were ploughmen. There wis three bondagers. Yin bondager she bade hersel'. The fermer's name at Bankheid wis Hogart. Hogart wis a gentleman fermer, he didnae work on the ferm. So there were nine workers at Bankheid, three o' them were bondagers.

Well, there wis yin bondager ca'ed Bellae Gibson. She lived on her own, she wis a single wumman, a spinster. Bellae never got mairried. Oh, she wis an elder wumman by us. The other yin wis Jean Fairbairn, oo were young. Jean Fairbairn bade wi' her sister, she bade wi' her sister and her man, Dalgleish. And then her faither bade wi' them an' a'. Her faither worked on the ferm, tae.

Jean Fairbairn and me were aboot the same age, Bellae Gibson wis older. Well, she wis the forewumman. She told me and Jean Fairbairn what to do.

The work ah did on the ferm each year that passed it wis jist always mostly the same. The hervest, the hay, the singlin' and the shawin' – that wis the main work, and then when they took the muck oot the closes ee had tae jist put it in pots and spread it. Oh, well, ah think the hay and the hervest wis aboot the best jobs. Ah didnae mind the singlin'. Ah wisnae sae keen on the shawin'! That wis the caulder weather! Oh, eer hands they were frozen when ee got started, but efter ee wis started ee wis a' right because eer hands got warm, ee ken. Oh, well, oo had auld gloves and things an' a', ee ken, gloves or mitts.

Ah wore bondager's dress. Well, ee see, ee made yer ain skirts. Ah cannae mind the stuff that wis made o' them – drugget, they ca'ed it, and it wis jist stripit. Ee could wear what colour ee liked. It wis jist stripit stuff. The stripes were usually blue and somethin' else – blue and white or blue and a paler blue, ee ken.

Ee made an apron for gaun ower the top o' the front o' the dress. And then ee had jist a blouse or somethin' on. And ee put that heidscarf ower yer heid and put yer hat on the top. That wis jist tae keep the sun off ee, tae keep eer skin frae bein' sunburned. But ma sister Agnes when she became a bondager wadnae weir a hat hardly. She whiles wore a hat and whiles she didnae. But Lothian, the draper in Morebattle, selt thae hats. Ee didnae make the hats eersel'. They wis 1s.6d. when ee bowght them. That wis quite a lot o' money in thae days. Oh, a hat it lasted long enough, oh, years. And then when ee bowght the hat there wis a kind o' ruche roond aboot it, a kind o' ruche thing, ee ken, something jist roond aboot it to make it take the plainness off o' it. And ee lined the hat wi' material, ony kind o' thing. Ee lined your hat. When ee got them they were jist plain, jist a strae hat, jist made o' strae! They werenae heavy hats, oh, they were quite light. Ah always wore mine in the fields mair or less. But that's what they wir, ee ken. Thae wis the kind o' hats oo had. Ee ken it would ha' been nice if ee could ha' kept thame. Ee jist chucked them away when ee started daein' somethin' else.

Oh, ee had tae wear baits, tackety baits. They were quite heavy for a girl. Ee got them at Kelsae oot the boot shop. At Morebattle he didnae sell boots. The boots wid be dear at the time, what you thought wis dear onyways. Oh, they lested for a while if ee took care o' them. Oh, ee had tae clean them every night, polish them up every night!

So that wis the kind o' claes ee wore oot in the fields. And, oh, jist an auld coat, auld raincoats, or onything like that. Ah mean, you werenae provided wi' ony. Durin' the Second War they had the Land Girls and they were provided wi' everything. They had the troosers and a' skirts and everything, and they were provided for a' thing. Oo had tae buy oors. It wis a lot o' money.[33]

But ah cannae mind ma wage. It widnae be very much, for ah yaised tae say, 'Nae other wonder the fermers had ferms.' Because, ah mean, when ee were workin' in the hervest time they wid usually gie ye a bottle o' beer and a bap each day. Well, ee'd be workin' maybe later at night in the hervest time. And what ee got efter, well, five o'clock – ee wis gaun on till nine o'clock at night until it wis dark – and they'd only gie ye a bap and a bottle o' beer. Oh, ee didnae get paid extrae overtime or onything. It wis hard work.

Then when the threshin' mill come in ee had tae cairry calf and ee had tae cairry strae, and then ee had tae gaun up on tae the top o' the mill and lowse the sheaves. Whiles ah fork-ed up the sheaves tae the man on the mill, ee see.

Ah'll tell ee, ee see, there were mair fun on the ferm then as what there is now. The fun oo had, oh, jist jokin' wi' yin another! And, oh, there were a lot o' workers, oh, there were a lot o' workers, ee ken.

There were bondagers workin' on the ferms aroond Morebattle. They worked a' roond on the ferms roond aboot. And ah mind o' ma mother sayin' yince that there were aboot twenty bondagers workin' at Cessford. Ee ken, when ma faither wis a forester and they walked up tae Widden Hill and they could look ower on tae Cessford, she said there were aboot twenty bondagers singlin'. Oh, Cessford wis a big ferm. Oh, it wis much bigger than Bankheid, oh, it wis a big ferm. Oh, it wid be aboot the biggest ferm in Scotland – twenty cottages and every yin wid be full o' ferm workers. It wis a big ferm.[34]

Ee didnae really get thegither wi' other bondagers when ah wis yin. Ee jist kept tae your ain door.

Ah never joined the Ferm Workers' Union. Ah dinnae think they ever asked iz tae join. Ma brothers werenae in the union, they didnae join either. And Bellae Gibson and Jean Fairbairn werenae in the union, they were jist the same as oorsels. Ah couldnae say whether there wid be ony other bondagers that ever joined the union. There wis naebody that ah knew onyway. There wis naebody at Bankheid joined the union, the Scottish Ferm Union. There wis nane o' them joined it.

As ah say, the fermer's name at Bankheid wis Hogart when oo went there. And then the place wis sold and the Mitchells come intae it. Oo wis wi' the Mitchells for a while, and then oo went tae Frogden. Ah cannae mind how long ah was at Bankheid, oh, ah wis there a guid long time but ah cannae mind. And, well, ah have nae idea why oo left Bankheid and went tae Frogden ferm. It might be mair money in't, or somethin' like that. Well, ma brothers Dan and George they went tae Frogden, ee see. When they were gaun ah wis tae gaun wi' them as a bondager! But they didnae ask me that time either!

Oo never wir at ony hirins. We jist seemed tae have gotten the jobs without ever gaun near the hirins. When ma brothers got a job at Frogden ah jist fell in wi' them. They must hae said, 'Oor sister'll come wi' iz.' And then ma younger sister Agnes she wis workin' there as a bondager at Frogden an' a. Agnes wis aboot three years younger as me. When ah first went tae Bankheid as a bondager Agnes she wis still at the school her. Then she started as a bondager, tae, at Bankheid. She'd leave the school at fourteen and went straight oot tae the fields as a bondager. But she didnae like workin' on the ferms. Ah think she wid ha' like-ed tae be in service in a big hoose or somethin'. Ah think she would like-ed tae work inside insteed o' ootside. But she never got a chance tae work inside, she always work-ed ootside until she got married, and then she gave up the work a'thegither. She often said, ken, afore, well, she died, she says, 'Ee ken, ah did not like workin' oot.' She didnae like the work, she said. Oh, it might be ower heavy or somethin', but she says, 'Ah did not like workin' oot.' But then, ee see, oo wis jist putten in wi' the rest o' them.

The work at Frogden wis jist absolutely the same as at Bankheid. Mr Scott wis the fermer at Frogden. He wis a gentleman farmer. Ah wid say a' the farmers roond aboot Morebattle wis gentlemen: Bankheid, Frogden, Burnfit, and Morebattle Tofts, a' thame were a' gentlemen fermers.

Whitton wis a big ferm but the farmer there didnae work ither. They a' had stewards, the steward wid tell ee what tae dae.

At Frogden there were five bondagers. There wis ma sister Agnes and masel', and twae weemin Maggie and My Turnbull – they were sisters. And then there wis another wumman a bondager, Kate Burns, but she did the cattle. But then, ee see, in the summertime, when there were nae cattle in, Kate Burns she wis workin' jist the same as us. Kate Burns wis a wee bit aulder than ma sister and me, no' much. Maggie and My Turnbull they were elderly women, they were baith elderly. They'd been bondagers a' their life. And ah think they'd been at Frogden a' their life, ah think sae.

Then there wis a steward, twae shepherds, and, well, ploughmen, there wis ma brothers Dan and George, and Jimmy Burns – there wid be aboot five ploughmen. There wad be aboot twelve workers a'thegither at Frogden. And at hervest time there wis Irish came across tae Frogden.

Ah dinnae think there were ever ony Irishmen in Bankheid. But there was so mony came – tae like the Scotts o' Frogden – and there wid be aboot twenty-four or something Irish come ower and they'd be twelve maybe at Frogden for the hervest. They jist stayed in an auld buildin' at Frogden. They had tae look efter theirsels. The steward's wife made a biggie – a thing for porridge, a great big pot o' porridge. Ah cannae mind what they ca'ed thir. They were jist like bowies, ee ken, and they jaist helped theirsels. Mind ee, ee ken, the fermers got the labour awfy cheap. And, mind ee, there were nae cookin' din efter. They jist got their porridge in the mornin', and then it wis jist beer and baps. Ah've seen the Irishmen boilin' tatties for theirsel', ee ken. There were nae meat made for them. That wis a' that wis made for them – porridge in the mornin'. Ah often say, mind ee, the Irishmen werenae very well din tae. Well, in the bothy they jist had tae lie on strae, jist loose strae! Oh, ah never wis in their bothy in the time they were in, ee ken. But that's a' there were. And jist an auld fireplace for tae boil their tatties up. Mind ee, it wis gey . . . Ah dinnae ken, when ee think back how they were trait it makes ee wonder. Oh, the fermers got the work oot the Irishmen and didnae pay very much. Ah jist often said that, ee ken, ah says, 'Well,' ah says, 'ma guidness, they didnae pay very much.'

Oh, oo got on well wi' the Irishmen. They were quiet, nice fellaes. They were very quiet, there wis nae trouble wi' them at a'. They yaised tae gaun away on a Seturday night doon tae Kelsae, ee ken, maybe get something, ah dinnae ken. But they never bothered naebody. There were nae fightin' among them or onythin' else.

Oh, the Irishmen were separate. But they worked alongside oo. In the fields ye worked a'thegither. Oh, aye, they were friendly enough wi' the workers at Frogden.

They wid gaun on the Sunday mornin' tae the chapel in Kelsae. It wis seeven mile frae Frogden. They wid walk there and walk back – seeven mile. They were regular chapel attenders. And they walked tae Kelsae and back on the Seturday night. Oh, it wis a long walk, efter ee'd been daein' a day's work.

At Frogden and Bankheid, oh, ah didnae go tae dances at Kelsae but ah went tae plenty at Morebattle. Oh, every Friday night there wis a dance there. The young folk came thegither then. Oh, well, it wis mair country dancin', ee ken – ightsome reels an' a' thame, nae foxtrots then, but St Bernard's Waltz, thae kind. Well, young folk met at the dances or workin' on the farms. Ah met ma husband when ah wis workin' on the ferm at Bankheid.

Well, ah worked at Frogden as a bondager until ah wis married. Ah wis 23 when ah got married. It wid be six years ah worked on farms – Bankheid then Frogden. Ah gave up work efter ah got married. Oh, that wis usual. Bondagers stopp-ed workin' once they got married. Ah didnae work very long at Frogden afore ah got married, maybe a couple o' years, or maybe three, ah dinnae ken, no' for very long.

Ma husband wis a rabbit catcher – self-employed. He killed rabbits, and he clipped sheep and fenced. He wis a Morebattle man. His faither wis a keeper at Linton Hill, on the Elliot estate at Clifton Park. Well, frae oo went tae Bankheid oo met in wi' yin another. Ah didnae work efter ah got married. But ah've seen iz gaun oot tae threshins maybe, ee ken. When there wis maybe threshin' corn, ee ken, ah've seen iz gaun tae a threshin. Jist, ee ken, if somebody wid say, well, 'They're short o' folk for the threshin' mill and would ee like tae gaun?' But ah never wis at the hervest again.

When oo got married oo wis at Linton for a wee while, and then oo went tae Frogden, and then oo went frae Frogden tae Linton Hill, because his faither flitted doon tae the mill, on the roadside, ee ken. And oo went up tae Linton Hill and then they wanted a full-time keeper and ma husband didnae want that. He wanted tae gaun clippin' and things like that. And oo looked for a hoose and oo couldnae find one. And Jock Mitchell, when he married the wumman that bade in a hoose in Teapot Street at Morebattle, they said, 'Now there's a hoose at Morebattle if ee'd want tae gaun and see if ee can get it.' The hoose belonged the Morebattle blacksmith. So ah says, 'Oh, well, ah better gaun away and see if ah can get it,' because ah had been everywhere and oo couldnae get a yin. There werenae sae mony empty hooses then. So the Morebattle blacksmith wis next door tae this hoose in Teapot Street. He came ower tae see me. 'Well,' he says, 'if ee take in the young blacksmith that's comin' here,' he says, 'the hoose is yours.' So ah says, 'Oh, well, ah'll jist take him.' Ah had tae dae't, ah had tae dae't! Ah couldnae get a hoose! So ah got a hoose and a lodger!

But, oh, the young blacksmith wis a nice fellae. He belonged away doon the Dunse wey, at Pirnie. He wis quite young, an apprentice. His faither wis a blacksmith at Pirnie and ah think he had been daein' work wi' his faither for a while and then he got this job at Morebattle, ee see. And he come in the hoose the same day as me! But, oh, oo got on fine wi' him and he stayed wi' iz till he got married. But that gave iz a wee bit extra money, ee ken, it made it a wee bit easier tae work on.

Ah cannae mind when ah came in tae the hoose in Teapot Street. But ah've been here mair than sixty years. Ma daughters wis jist five year auld, gaun on six, when ah came. And they're 67 now. And ah've been here ever since. So it must have been aboot 1936 or so when oo came tae Morebattle. Ma husband died in 1971.

Ah've always lived in this area, because, ee see, well, Eckford's no' that far away. And then Bankheid and Frogden's no' that far away. Well, ah yaised tae walk ower there tae Eckford when ma mother wis at Mosstooer.

Well, lookin' back tae the ferms, oh, well, there's an awfy lot o' changes, ee ken, wi' different yins. Well, there's mair tractors and mechanisation on the ferms. The bondagers they're a' gone. Ee see, where there used tae be as many workers on the ferm now there's hardly any – what, nae mair than one man wi' a tractor or twae. And then they hire in. It's a' hirin' in.

At Bankheid, well, there were aboot nine workers when oo wis there. Well, now there's jist twae, ah think. And Frogden, well, ee see, Frogden's now let, the ground's let tae Kersknowe. They're farmin' Frogden now. There's naebody, nae workers, livin' on the ferm now at Frogden, nane at a'. There's naebody there now that works on the ferm. Ah think there's three o' the hooses occupied. Ee see, they're let, jist let. But they're no' farm workers in the hooses. Oh, there's naethin' on the ferms now.

Well, ah often thowght when ah wis young ah wid like tae have been a nurse. But, oh, ah didnae mind workin' on the ferms as a bondager, ah didnae mind. Ah quite enjoyed it. Ah never had nae regrets o' onything.

Jean Leid

Ma mother work-ed on the farm an' a'. Oo were a'thegither at Whitton, ye see, we were jist a'thegither at Whitton. Ma mother wis a bondager an' all a' her days, frae when she left the school.

Ma mother wis born aboot 1887. She wis very clever ma mother. She left school at thirteen and they wanted her tae be a schoolteacher. She had a merit certificate. Ah have her merit certificate that she got. It's somewhere in the hoose. She got it frae Black, the school teacher that wis at Sprouston. They couldnae get her ony higher. But her father wis in ill health, so she had tae leave school and go on tae the land tae keep things movin'. So that wis her lost, ee see. She wis a great violin player and a great singer. She got prizes up in this hall in St Boswells for singin' when she wis young. She wis very clever, ee see. Jist born ower soon. It's a shame, but that's it. So that wis ma mother's history. That wis life in these days.

Ma mother had always tae work on the ferm, she had tae work on the ferm. Well, ah had ma mother for sixty years. She wis 87 when she died in 1974.

Ah wis born when ma mother wis 27. Ah wis born in 1914, the 28th o' January. Ah wis born at Whitton ferm, away up the Morebattle way. Well, to be quite honest ma mum never wis married. So ah dinnae ken what ma father did for a livin', whether he wis a ploughman or what. So that's a'.

Ah didnae know ma grandfather, ma mother's father. He wis dead, aye, he wis dead. Ah didnae know him. But ma granny lived tae she wis ninety yin. Ah dinnae ken what she wid dae afore she wis married. But ah'll tell ee where ma grandmother wis born. She wis born in Jeddart Jail! Now listen! When she applied for the pension and she said she wis born in Jeddart Jail, they jist look-ed at her. Her faither wis a polisman – Moore! He wis stationed in Jeddart and she says she wis born in Jeddart Jail! Puir auld sowl, tae. But, ah dinnae mind what ma granny did for a livin' efter she left the school. Ma granny died when the black-oot wis on, durin' the war. She died in aboot the 7th of February, in aboot '40. It wis yon terrible storm.

The hoose ah remember growin' up in wis at Whitton. There wis a bedroom doon the stair and twae up the stair. And jist a kitchen, a pantry and a kitchen. Nae waeter, nae electricity, no naethin'. Ee'd the water tae cairry in and ee had it tae cairry oot. There were an auld kind o' fancy tap ye turned on. It had a big noob and a face like a bull-dog, ken, some o' yon kind that ee turned on and it come oot its mooth. Us kids yaised tae gaun and turn it on. The waeter yaised tae be runnin' doon past the auld yin's door and he'd be oot efter iz! That wis the only tap, the only yin that wis there. Everybody had tae cairry the waeter frae there. Oh, it wis along at the end o' the third hoose, in an openin'. There wis fifteen hooses in the row at Whitton. And yin tap.

Oh, there wis a lot o' folk there at Whitton then. See, there were 23 kids o' us gettin' doon yon road away tae Morebattle, away tae the schule. Oh, Whitton wis a big ferm. And there were blacksmiths there, and the Hugheses wis there – their grandfaither and a' that – and the Jardines, the Pikes: Tom Pike, his lot, they were a' Pikes. And Pringles and Thomsons and Smiths and Swansons. And in some hooses there'd be faither and son workin' on the ferm, and maybe another yin. But there were nae wives work-ed then, jist the men. Oh, there were daughters, they work-ed, tae.

Ye ken, it wis a ferm and they jist varied, they came and they went, sort o' style. They were aye flittin', flittin' aboot, some o' them, ee ken. Oh, in these days it wis common for ferm workers tae flit. Oh, they'd flit for a shillin'! They yaised tae gaun tae the hirins, and, 'Where are ee gaun?' 'Oh, sic a like place. Oo've gotten an extrae 6d. a week.' And they were away. Oh, they kept changin'. But oo – ma mother and ma granny and iz – wis there for a guid while at Whitton.

Jean Leid

Oh, there wid be a lot o' ploughmen at Whitton when ah wis a girl. There'd be ten pair onyway, ten or twal' pair. Oh, aye, there'd be that. There were nae tractors or naethin' then. And a cattleman – there might be twae. And there wis yin, twae, three, fower herds, fower herds on Whitton. Currie the herd bade at Nickieshaugh, that's away near Hownam – he wis an ootby herd. And then there wis the twae Youngs. They were inby herds. And where wis the other yin? There were fower, fower herds: twae ootby herds and twae inby. And there'd be five or six bondagers onyway. And, oh, there were a steward. It wis a big ferm.

And then, oh, the Irish used tae come ower tae Whitton. The same Irishmen they came every year, a lot o' them, jist. Oh, ah dinnae ken where they came frae in Ireland. But the same lot came ower. They came ower for the hervest, and the singlin' and the hey. It varied – maybe aboot eight or ten o' them came.

The fermer at Whitton wis a very nice man, Sandy Davidson. And that wis the time when oo wis there, when ah wis wee. Ah dinnae ken if he wid work hissel' Sandy Davidson, but he wis guid tae his folk, ken. He wis a guid fermer.

Ma mother wis forewumman, what they ca'ed the forewumman. She led the weemen at Whitton. There were her and there would be her sister ma Aunt Nell and there would be Meg Pike and there'd be Isae Pringle and Liz Pringle. They wis sisters, the Pringles. There'd be five or six bondagers onway. Ah wis jist a wee girl, but ah can mind o' them comin' in. Oo yaised tae gaun oot tae the fields and meet them comin' in, ken, when ah come back frae the schule.

Ma granny looked efter iz when ah wis a wee girl. Ma granny lived wi' oo. She looked efter oo when ma mother wis workin'. Ah have a sister, they ca'ed her Ella. Ella's nine years younger than me.

And ah remember ma mother gaun oot tae work as a bondager at Whitton. She started at six o'clock in the mornin, tae six o'clock at night. They come in for their denner aboot half eleven and went oot at yin. They got an hoor and a half for their denner. Ma granny made the denner for ma mother comin' back. Puir auld sowl, she did a' the meat-makin'.

Oh, ma mother used tae speak aboot her work. She jist used tae gaun on aboot, well, jist aboot the hard work that they had tae dae. Oh, they wid have tae work wi' the horses tae likely, leadin' in, and a' that cairry on. Well, ah mean, they jist a' took it, ah think – well, it might no' be hard work but it wis constant. It wis a' manual work. And they used tae hae tae gaun and single at night, for tae make a pickle extrae money. She used tae gaun oot and work till it wis gettin' grey dark, tae make some extrae money: a penny a hunder yairds. There were nae overtime paid then. It wis jist plain rate, the same rate. Ye had tae work six days. There were nae Seturday efternins then. But ma mother never work-ed on a Sunday. But in the hervest she work-ed at night efter six o'clock, oh, right on tae it wis dark. Oh, it wis a hard life.

So ah didnae really see much o' ma mother when ah wis a wee girl. It wis granny that wis at home, she wis aye there when ah came in. And then ma mother wis dead tired by the time she came in at night. But oo wis weel look-ed efter. Oo hadnae very much but oo wis weel look-ed efter.

Oh, oo got tatties, ma mother as a bondager got tatties, nae milk, jist the tatties. Oo yaist tae get a ton o' tatties as part o' her wage. Ee grew eer ain in the field and then ee had tae gaun and take them up. Ee got maybe 800 hunder yairds o' tatties. And ah yaist tae gaun wi' ma mother in the mornin', we used tae gaun away at six o'clock in the mornin' and dig them. And then ah used tae come back in and get washed and changed and away tae the schule. Oh, oo had tae gether the tatties in oor ain time. But ee wis allowed, as ah say, ee wis allowed tatties out the field, sae mony, sae mony.

We ate, oh, jist kail – soup, porridge. Oh, ah dinnae ken whether oo'd get oor porridge in the mornin' or no'. Maybe we'd hae jist a bit slice o' jam and breid and a cup o' tea, and away tae the schule. Now at Whitton we had the pigs. Everybody had pigs. And they yaised tae get their flour for bakin', ken, at Whitton frae Davidson the fermer. And he'd went along yae day and he had seen that they were feedin' their pigs wi' this flour that he wis gi'en them. So that wis it finished, that wis it finished.

Jean Leid

Oh, the shepherd killed the pig for ma mother. Oh, aye the men wis a' there at the pig killins. Oh, it wis a big occasion. 'Twis a big go. Oo yist tae stand and watch them! Oh, ah wisnae frightened. Ee'd nae fear when ee wis on the ferm. Ah grew up wi' animals. And then when the pig wis killed ma mother had the bacon and the ham hingin' frae the ceilin'. They wis the days. Ee got eer breakfast, and your denner and your tea off the ceilin'. Oo aye had ham and bacon and pork. Ee had pork tae begin wi', sae much pork when ee killed the pig. But ma mother didnae make black puddins wi' the blood. She didnae make that. She made the ordinary yins, jist the mealy puddins.

And oo had hens at Whitton. Oo got oor milk frae the ferm – no, well, jist folk that had cows. Oo jist yaised tae buy milk frae them, a penny a pint. But ma mother never had a cow. Oo cairried the milk in the mornin'. Oo went along and got the milk. Ee took your pitcher along at night and then they put the milk up for ee and ee went back and got it in the mornin'.

Oo never went hungry at Whitton. Well, as ah say, oo jist had oor bit jam piece and oor tea for oor breakfast, then oo'd get oor denner – tatties and soup, tatties and meat, well, jist stew, mince, and boilin' beef oo made the soup wi'. No' mutton, ah never wis fond o' mutton. And then, oh, oo'd rice or tapiocae or a dumplin', a currant dumplin'. Oh, ma granny wis a guid cook.

Then at teatime oo had bacon and egg, that wis what oo had at teatime. That wis jist it, oor breid and bacon and egg, and bread and the jam. They made the jam, it wis a' hame made jam. Oo had tae buy fruit then but it wisnae dear, it wisnae expensive then, ee ken. Oo didnae have fruit in the gairden. Oo went and oo got the wild rasps. There yaised tae be big wids o' wild rasps. And there were scrog aipples at Whitton and then ee could make the jeely, aipple jeely. We didnae bother wi' the wild strawberries, jist the rasps and the scrogs and the brambles. Oo made bramble jeely. Oh, oo could dae the wild fruit when ah wis a girl.

And then mushrooms, oh, there were plenty o' thame. Ah used tae gaun wi' some o' them tae gether them. But ah never wis very fond o' mushrooms. But ah could gaun and gether them. There were plenty mushrooms at Whitton, oh, there were a lot at Whitton.

Ah went tae the schule, Morebattle School, when ah wis five. That wid be 1919. Frae Whitton oo'd three mile tae go. Oo walk-ed three mile. Oh, we couldnae come hame for oor denner. Oo got a soup kitchen at Morebattle, a bowl o' soup – yin o' thae little bowls – and a bit half slice o' breid. That wis putten doon. Oo went along. Mary Frater did the soup kitchen. Oo didnae pay for that, that wis free, that wis free. Ah always had that soup at the school, no' sae much in the summer, ah dinnae think, jist mair in the winter. In the summer oo jist took oor piece and a bottle o' tea tae the schule, slackened the cork and put the bottle in the side o' the fireplace and made it warm. When oo finished in the efternin' oo walk-ed hame again. We had tae walk the three mile back tae Whitton.

In the wintertime, well, we got tae snawball at Whitton, ken. In the wintertime they had a cart, a long cart, used tae come doon for the messages, and us bairns – the wee yins got in ablow the hap gaun hame, and the bigger yins hung on, yin ahint the other, gettin' up the wheel track. Oo used tae walk on the hedges, tae gaun tae the schule! If the snow wis level wi' the hedges, and we never thowght naethin' aboot it. Oh, ee got the winters then, ee ken.

When ah wis aboot nine or ten oo left Whitton. Ma mother got another job, at Ladyrig ferm, near Heiton. It wid be for the wages, ah think, bigger money, ye see. That's what ah say, they jist had tae move aboot. She work-ed on the ferm. We went tae Ladyrig frae Whitton, ma mother, ma sister Ella and ma brother Alex – he wis seven year aulder than me – ma granny and me. So ah went frae Morebattle School then tae Heiton School.

At Ladyrig it wis a better kind o' hoose as Whitton, but it had three bedrooms an' a' and the ootside toilet like Whitton. Oh, oo didnae share the toilet wi' onybody else, oh, ye didnae share them. Ye had that yersel', jist the dry toilet, ye had that yersel', and ye had them tae clean and that.

Then at Whitton oo had daist the paraffin lamps and caun'les. Ma granny did the cookin' there on one o' the auld grates – an open fire, no' a range, jist an open fire and jamb stanes, wi' the pots on that. An' a swee. Puir sowls, tae. At Ladyrig it wis jist the same – oil lamps, jist paraffin – and jist the open fire for cookin' again. There were nae ranges there either. And the tap it wis ootside, jist like Whitton, and away at the end o' the row. There wis jist the one tap and there wid be six or seven hooses. Oh, it wisnae sich a big place as Whitton. Us and the Humes and the Aitchisons – aye, there wid be six hooses.

At Whitton oo daist had the big bath, a zinc bath and that wis where ee got washed! Oh, ony night wis bath night, jist ony night ee wis in. If it wis warm ee wis in, and if it wisnae, well, ee wisnae.

And then at Whitton oo had what ee ca'ed the kitchen then. Oh, the granny wid sleep in the kitchen and oo'd sleep up the stair. Ma brother Alex wis in one room and me, and later on when ma sister Ella came, in another room. Ma mother had a room tae hersel'. When oo wis at Ladyrig, well, ma brother wis away ludgin'. He wis a joiner. He served his time wi' Willie Morrison in St Boswells and he ludged doon at Danderhall, I think it's doon the road frae Boswells. Ma granny wid sleep in the kitchen at Ladyrig. Ah might sleep wi' ma granny, and ma mother wid sleep in one o' the bedrooms. That would be it, that would be it. Ee ken, ee forget. Ma sister Ella must ha' been born at Whitton. So she wis jist a wee bairn when oo went tae Ladyrig.

Ah went tae Heiton School frae Ladyrig. Oh, that's no' nearly sae far as Whitton wis frae Morebattle. Ee're lookin' ower tae Ladyrig frae Heiton, ee see. Ken, frae Heiton ee can see Ladyrig steadin'. It wis jist aboot a mile, a mile and a half. Ah liked Heiton School. Ah got on well at baith schools, Morebattle and Heiton. Well, sums, writin' stories or drawin' – onything like that ah liked. But there were nae algebra nor naething when oo wis at the school, ee ken. Oh, ah liked the school, ah liked the schule.

Ah went tae the Sunday Schule, oh, ah went tae the Sunday Schule at Roxbury when oo wis at Ladyrig. Ah never went tae the Sunday Schule frae Whitton. Morebattle wis the nearest church there, it wis ower far for me. Ma mother and granny they yaised tae go tae the church frae Whitton. They jist walked to Morebattle. There were nae church at Heiton, it wis at Roxbury. Tae Roxbury frae Ladyrig wid be aboot fower mile. We had tae walk the fower miles on a Sunday.

Ah wis never in the Brownies or Guides, ah never wis in anything like that. It wis ower far away.

Ah liked tae read as a girl. But ah never wis a big reader. Ah wis clever enough at the schule, but ah never wis a big reader. Oh, there were nae libraries at Whitton. Ee could get books frae the schule. Ah aye jist got them and then took them back tae the schule. And, as ah say, ah've aye been a knitter. Ah learnt tae knit when ah wis young. Ah knitted onything – dollies' claes, onything, gloves and mitts.

Ah left Heiton School at fourteen. Oh, ah had nae ambitions. Ah never wis ambitious tae get on that way. Ee never got nae choice then. Ee jist had tae, ee jist went on tae the ferm. Well, there wis nae other choice, ah dinnae think. Ah jist liked the idea o' it and that wis it.

So ah left the schule in the month o' May 1928 and went straight on tae the ferm at Ladyrig. Ah sterted tae work at Ladyrig. Well, ma mother jist asked the fermer and ah jist sterted. Ah yaised tae gaun efter tae the hirin' fair, when oo wis leavin' Ladyrig. But no' then. Ah jist sterted along wi' ma mother. Ee see, they employed young yins then. That's where it wis.

Ee started at six o'clock in the mornin' and ee worked tae six o'clock at night. Well, ee got your denner frae half past eleven tae one. That wis jist the same as ma mother had at Whitton. Ah came home then wi' ma mother. Oo came and got the denner. And then oo went oot again for one o'clock.

Ma wages when ah first began at Ladyrig wis ten shillin' a week. Ah wis workin' aboot 60 hoors a week for ten shillin' a week. Ee had six Seturday efternins holidays i' the year. That's what ee got then when ah first began. Oo got the New

Year's Day. And, well, if ee wis gaun tae the hirins ee got the day. Ah dinnae think ee got the day if ee wisnae gaun tae the hirins – no, ye had tae be at the hirin'.

Well, the first job that ah got at Ladyrig wis cuttin' thistles amongst the corn. That wis the month o' May. Ee cut the thistles wi' a hoe, jist a hoe. Ee jist had tae dab them, ee see, wi' the hoe. Ee couldnae cut them wi' a sickle. Oh, the corn, well, whiles it wis long but whiles it wisnae sae long.

Well, efter that, ee see, well, ee jist sterted on the singlin'. Then ee had the hay. Then when ee wis like ma age oo yaised tae carry water for thame that wis workin'. Ee ken, jist what ee ca'ed half lassies and laddies stertin' tae work. In the hervest ee'd cairry the waeter oot tae thame workin' in the fields. That's when oo wis wee. Then as oo got aulder, ee see, oo jist had tae work the full time.

Oh, later on, ah drove the horse an' a', oh, maybe when ah wis sixteen, seeventeen maybe. After ah'd been workin' two or three years ah got a horse tae drive. Oh, ah wisnae nervous aboot horses. Ah like-ed animals.

In the hervest time, well, oo had tae dae the stookin' tae start wi'. And then ye had tae dae the leadin' in. Ye fork-ed the sheaves on tae the cairts. And then efter that, well, when the hervest wis a' in, it wis jist tattie time. Well, as ee got aulder on the ferm ee got mair tae dae.

Ee maybe got extrae twae or three shillins jist as ye got aulder. It wisnae very much. The hay time and the harvest ee got a pound. That wis eer overtime. That wis for the whole season. The men got a bottle o' beer and a bap, a little wee loaf. Every day they got a bottle o' beer and a bap in the hervest time. And then oo got the pound jist, oo got the pound.

Oh, there were nae holidays then when ah wis young. Oo went tae Spittal wi' the Sunday School trips. Ma mother never went away for a holiday, nae holidays. Well, maybe she'd gaun away maybe jist for an odd day, maybe wi' a bus or somethin'. Ma mother never got a great lot o' holidays. Oh, ma mother and ma granny and me never went away thegither for a holiday when ah wis young.

It wis long efter ah left the schule or ah had a cycle. Oh, that wid be at Ladyrig, oh, it wis long efter ah left the schule. They werenae expensive then cycles, ee ken. Well, the cycle wis handy, right enough. Ye could get on tae it and jist go where ye wanted tae go. Ah'd jist gaun tae Kelsae or ower tae Heiton. Well, ah went tae Heiton jist ower tae see a lot o' the rest o' the lassies. Ah had friends at Heiton and there wis a shop at Heiton, a post office.

Then usually a Seturday, ah went away on a Seturday efternin jist for a bit run roond on ma cycle. Oo had six Seturday efternins in the year. Whiles ah went jist away for a bit run roond, jist tae pit away a bit time. There were nithing else for us tae dae. And ah went tae dances at Heiton on a Friday night. Yin and sixpence on the Friday night, and sixpence on the Seturday night. It wid ha' been better tae gaun on the Seturday night! Oh, ah wid be gaun away maybe aboot sixteen tae the dances. Oh, ma mother wisnae keen tae let me go before then. Oh, ma mother and ma granny telt me tae be hame by such-and-such a time. If oo were at Kelsae we'd aye tae be hame by ten o'clock. And, well, the dances aye feenished aboot yin and they kent oo's aye back hame the back o' yin. It didnae take oo long tae cycle hame.

Oh, ah loved the dancin'. Oh, the eightsome reels. They cannae dae thae now. Oh, the happy auld days that's awa'.

Then there yaised tae be the kirns, what they ca'ed kirns, dances, at Redden, Hadden, Coshie, the Windywa's. They held them efter the hervest and a' that. Oo yaised tae gaun tae thae. Oo'd come hame aboot fower in the mornin'. Oo wis up, oo wis away tae work again at six. Oo wis away back again tae feenish off on the Seturday nights. Slept a' the Sunday! Thae wis the days, sittin' at the kirns wi' the paraffin lamps gaun in the granaries and the bags o' corn a' roond aboot or bales o' strae, ee're sittin, or dancin' away there. Oh, ah loved the dancin'.

It wid be aboot fower year ah work-ed at Ladyrig. Ah sterted then when ah wis fourteen and ah wid be nineteen when ah left Ladyrig. Well, oo wis at Windywa's then. Windywalls – that's near Sprouston, jaist oot o' Kelsae.

Ah wis workin' there. But ma mother wis stopp-ed workin' then, for ma granny wisnae in guid health. She stopped tae look efter the granny. So ah wis the only yin workin' then. Ma mother didnae work when oo wis at Windywa's. Ma brother Alex wis away frae hame afore then, he wis a joiner. And then ma sister Ella wis still gaun tae schule then, she wis gaun tae schule at Sprouston her. Oo a' lived in the hoose thegither. Ah wis the breadwinner then, when ah wis eighteen or nineteen.

'Twid daist be for mair money likely, ken, bigger money, oo left Ladyrig and went tae Windywa's. Ma wage when ah first went tae Windywa's might be what, aboot twae pound something? That's where ah'm no' sure – ah maybe didnae get as much as that.

When oo were leavin' Ladyrig ah went tae the hirins. It wid be Earlston hirin'. Ah remember oo went wi' the train, oo'd have the train from Kelsae tae Earlston. Oo'd maybe hae tae walk tae Kelso, aboot three mile frae Ladyrig. Then oo got the train. Earlston hirin' wis always the last Monday in February. Kelsae wis the first Friday in March. They were close together. If ee didnae get a job at Earlston ee went tae the next yin, the next hirin'. Ee widnae gaun tae mair as twae: Earlston and Kelsae. Oo never went tae Duns or Hawick hirins. They were ower far away.

But ah mind o' gaun tae Earlston. Oo went, the place wis jist ootside, jist ootside the Corn Exchange. Sawdust on the flair: the auld fermers – spit, spit. Oh, there were a lot o' womenfolk there, bondagers. 'Oh, no, oo're no' gaun there, faither. He disnae get a good name.'! That's what the girl wid say. And then ee'd come hame: 'Where are ee gaun?' 'Oh, sic a like bit.' 'Ye'll no' be long there. He's no' a very guid yin that.' This used tae be the crack. Flit for a shillin'! And then the fermers they yaised tae take them tae the pub and gie them five shillin'. And that wis their erles. Oh, ah aye ca'ed them erles. And that wis the bond. That wis the bond that eer contract wis made, when ee got the erles. It wis five shillins.

Ah never went wi' ma mother tae the hirins when she wis workin' on the ferms. That wis daist the first hirin' ah'd been tae, when ah started at Windywa's. Oh, ma mother used tae speak aboot the hirins. Eh, what changed days! Well, when ee went tae the hirins: 'Are ee tae hire?' 'Aye.' 'So-and-so and so-and-so, and where have ee been? Oh, aye. Oo'll hae tae . . . Ah'll see when ah come back.' And some o' them, the fermers, wid say when they come back, 'Oh, well, ah've seen So-and-so fermer and ee hevnae got a very guid character.' 'Oh, well,' some o' them, the ferm workers, yaist tae say, 'oo've gotten yours, tae, so we're no' comin'.' This wis some o' them, ee see. That's how they used tae dae. Yae fermer wid speak tae ye maybe and then speak tae some o' the other ferm workers, and then he wid gaun away and ask where they had been, come back and say he didnae want them. That's how they yaist tae treat folk long syne. Oh, it wis a' done at the hirins by word o' mooth. The fermer wid ask other fermers aboot the worker, and the worker wid ask the other workers aboot the fermer. That's how they worked it. Aye, ee had a rough go long syne.

Oh, the hirin' fair it wis a' right. Ah mean, it wis . . . ! There wis a big lot o' folk there, ee ken. There yaist tae be a lot. Well, ee jist yaist tae wonder where ee wid land. 'Ah wonder where oo'll be?' However. Ee'd tae go and stand aboot waitin' tae be hired at the hirin'. Ee'd nae other option, ee see. There were nae phonin' then for tae get a job or nithing.

And then, ee see, the fermer yaist tae come roond at the ferm afore the hirin' fair and ask, 'D'ye want to stey on?' Oh, he yaised tae come roond. Well, that could happen, and then they'd be sayin', 'Oh, well, ah think oo'll have a change.' Or the fermer might say, 'Ah dinnae want tae keep ye on.' That's it, some o' them yaist tae say that. So then ee had tae go tae the hirin' and find another job.

Ah cannae remember onybody at Whitton or Ladyrig or Windywa's being left withoot a job at the end o' the hirins. No' really, ah dinnae think sae. Oo'd aye a job. They could aye get some bit where they got a job, they could aye get somewhere. There aye'd be another ferm place where they could maybe take them in, ye ken. Ah dinnae think ah remember anybody left withoot a job. Ee see, it wis jist a' ferm work then. There werenae sae many factories or nithing where they could gaun tae. But if there wis somebody went tae the hirin but couldnae get hired he'd jist have tae gaun tae another hirin'. He'd jist hae tae gaun tae the other hirins or he got fixed up. Ah cannae mind o' anybody left withoot a job, no' that ah can mind o', because ee see if it came the time they would have tae be oot, ee see, they would have tae seek some place tae gaun.

At the hirins, oh, the fermer had tae come tae you. Ye daurnae gaun tae them. Ee never kent what ee might get! Oh, it wisnae the custom for the workers tae approach the fermer. They had tae wait until the fermer came to you. Oh, aye, they had the ball at their foot then, ee see.

And then the fermer wid say, 'Now ah'll pay you such and such and your hours'll be so much, and you'll have eight hunder yairds o' tatties . . .' Ye'd a ton o' tatties but, well, ee could have your tatties in the field then, right enough. That wis what oo had at Whitton, when ma mother wis a bondager there. But later on ee yaised tae get sae mony tatties, ee see. That fell through wi' them bein' in the fields, and then ee jist got a ton o' tatties. The erles wis a kind o' advance on eer wages. It wis usually five shillins. And the bargain wis made when the fermer gave ee eer erles.

Ah never joined a union. Ah dinnae think onybody ever asked me tae join. Ma mother never joined yin either. Ah dinnae ken whether any o' the other weemen on the ferms wid or no'. Wid they hae been in that then?

So ah went tae Windywa's when ah wis aboot eighteen or nineteen. That wid be in aboot 1932. Ah think ah wis aboot three year at Windywalls, ah think. And at Windywalls ah had three cows tae milk, an' ah fed the Irishmen, look-ed efter the Irishmen there. Ah made their meals: porridge in the mornin' – yon muckle milk plates, bigger than oor pouffe there, wi' porridge, and away oot tae the fields wi' thir plates in a cairt.

There wis yae Friday, and the rabbits wis awfy guid then and the Irishmen like-ed the rabbits. So ma mother and me oo skinned thir rabbits and ah cooked them a'. And ah sent them doon for their denner, and the rabbits a' come back, 'cause it wis Friday. The Irishmen werenae allowed tae eat meat on a Friday.

So that wis part o' ma job at Windywalls, ah look-ed efter the Irishmen. Oh, there wid be ight or ten o' them. They came every year. And they stayed in a bothy. They came ower – ah think thae yins jist mainly came. Well, ah fed them. They'd maybe dae for theirsels, singlin' and hey time. But ah look-ed efter them. Ah fed them in the hervest time like, ken, when the days wis longer. Ah cook-ed for thame at hame, and the cairt – a wee short cairt – came and ah put it a' intae the cairt and took it tae them.

Their denner, ah took their denner doon tae the bothy at half-past eleven when they came in. Oh, the bothy, well, there wis daist the mattresses and strae and blankets. The mattresses were on the flair jist. They didnae have any beds in the bothy. Well, an odd yin or twae maybe had a bed. But the most o' them jist slept on the mattresses that were there. And the grey blankets, oh, well, maybe, yin each maybe or twae. Well, there were six or eight Irishmen, maybe twae or three had beds, and the other yins slept on the floor, jist on mattresses. Oh they'd a' mattresses.

In the bothy wis't a stove? Stoves, aye, jist a stove. Ah never stoked the fire for them. Ah never went near their place nae mair as pittin' in their meat, ee ken, on tae a table.

The Irishmen at Windywalls they were jist mainly aboot the same yins that came a' thae years, ee ken, the same yins. Oh, they were a' friendly enough. They wid be some related, fathers and sons, or brothers, they wid be. But it wis the same yins, mair or less, came every year. Ah didnae ken what airt they came frae in Ireland. They went away back efter the hervest. They didnae stay for the tattie hervest, no' so much then. Ah think it wis jist the hervest time they were there at Windywalls. Well, they come ower for the singlin'. They'd maybe be ower aboot the three month till the end o' the hervest. They went away back again.

Ah think they'd be a' Catholics. They yaised tae gaun away tae the chaipel onyway on the Sunday tae Kelsae. That wis fower, five mile frae Windywalls. And they yaist tae gaun tae Kelsae on the Seturday night – never heard nae trouble wi' them nor naethin'. Ah dinnae think they were a' Seturday night in Kelsae. They went away again tae Kelsae on the Sunday tae the chaipel. They walk-ed the ten miles on the Seturday night and the ten miles again on the Sunday, tae Kelsae and back tae Windywalls, all one behind the other goin' doon the road. Ah dinnae ken whae went first. It widnae maitter maybe whae went first. There wisnae a set order. They were jist a . . . They hardly ever walked together, jist one behind the other. Ah dinnae ken how that would be. 'Course it wid be their religion, their creed, maybe, tae. No' like us, gaun along in twaes and threes, ken. They didnae walk in twaes and threes, the Irishmen, jist yin behind the other.

But, oh, the Irishmen at Windywalls they got on fine. There wis never nae bother. Well, ah think some o' the men on the ferm wid maybe gin doon at night tae the bothy and maybe play cairds, ken. Oh, ah never went there. Oh, the bothy wis quite clean and orderly. But ah didnae clean the bothy for them, ah didnae touch it. They jist look-ed efter it theirsels.

And, then, oh, ah remember the tramps. Auld Yorkie came frae Yetholm. Oh, he wis a queer yin him. Oo never bothered sae much aboot him. He wis jist a kind o' tramp him, a kind o' tramp. Had he no' money? When ah wis a girl at Whitton he used tae gaun mair tae the herd's hoose. When the herd went away tae the hill Yorkie went and wanted porridge for his dog made. Oh, that wis him. Oh, ah didnae have much tae dae wi' Yorkie when ah wis a girl, oh, no. There wis a big stane deepit on the road, doon the Whitton road, nearer Morebattle Mains. And Yorkie yaist tae sit in there a lot, and ah think he jist wisnae very . . . Us bairns wis feared for him, wis feared for him. Oo didnae like him.

Bet the Boar, ah seen her. She wis an impident wummin. Us bairns again wis frightened for her. She wis a rough wummin, an awfy wummin tae sweir. She wis medium size. The fermers like-ed tae . . . for their ain service, a lot o' them. Oh, she wis a rough wummin – sweir. What wid her name be? Ah've never heard her name. She yaised tae be often on that Whitton road but she never come up the length o' Whitton. She used tae be whiles on the road but us bairns wisnae sae keen o' her.

And then oo had Puzzle Bobby. Oo like-ed little Puzzle. He made puzzles, jist wi' wire. He yaised tae sell them. Ye had tae buy them, or he jist gi'en them away. He wid gie some o' the bairns them. Oh, ah've seen oo sittin' for hoors up aside him. He had different yins, different puzzles. 'Oh, ah'll make ye yin like this.' Puir little Bobby, tae. But he fed hissel' weel. He yaised tae get butter off the fermer's wife, fresh butter. And he had a little fire gaun, and have bacon and egg. They were a' guid tae Puzzle. Aye, they like-ed Puzzle.

Oo had a little wee hut, a little wee hut at Whitton, and a' us bairns, six or ight o' us maybe, yaised tae gaun away up when oo kent Puzzle Bobby wis comin'. And he had a barrae, his little wee billy-can hingin' on the handle o' the barrae for his tea. And oo yaised tae take him up – oor mothers maybe wid make us a piece – and oo'd take it away up for him. And oo used tae sit there and he made thir puzzles. And he wis jist aboot this height – oh, a tiny wee man, oh, less than five fit tall. He wis elderly, Puzzle Bobby. Oh, he'd be Scots. Ee used tae see him gettin' up past the doors at Whitton. Ee ken, there were the hooses and then there were the door that way, and then they were doon a wee bit bank way, doon for the pig hooses. And this wis the bottom row, where the cairts and that yaised tae gin up by. Puzzle Bobby used tae be gettin' away up by this bit wi' his barrae, and us kids away up ahint! Oh, he bade in that hut for a guid while, at nights and through the day in that hoose. Oh, he came regular, Puzzle Bobby. He wis a regular attender. And he wis canny, ee ken, he wis hairmless. No' like now, ah mean, ee couldnae let bairns gaun near thae kind now. But he wis hairmless. Oo like-ed Puzzle Bobby.

Then there wis Patty Mary. Ah dinnae ken how she got her name. She had a basket ower her airm and some ornaments or that in't. But she yaist tae cairry potties, ee ken, chamber pots. Ah mind yince o' her sayin' tae ma mother – ma mother'd be sayin', 'Aw, ah dinnae think oo need onything the day, Mary'

– 'Now here's a nice yin, Missus. There's a nice yin. It's got a rid ring aroond it.'! A chamber pot! Oh! They were a weight for her tae cairry. She cairried them roond wi' her, ee see. Well, she must have had a stock o' them somewhere. Ah dinnae ken where she wid belong either. She wis jist Scots likely, tae. They'd jist be a' kinds. Patty Mary kind o' come roond now and again, maybe twae or three times a year.

And then there wis, what d'ye ca' him – Wullie Norris. He had a basket. He had claes pins. Wullie had jist yin o' thae big baskets wi' claes pins and that in't, jist sellin' them, penny a packet maybe or that.

None o' the tramps lived in the steadins'. Only yince – though ah think that wis at Ladyrig – there were yin. Ah went in yin mornin' tae the strae barn. Afore oo started tae thresh oo used tae feed the beasts and that. And ah mind ah went intae the strae barn and there were a big hawk for pullin' the strae off a deese, ken, where ee yaist tae pit them. The hawk wis daist a big fork thing, wi' the heid turned doon and fower claws, ca'ed a hawk. Oo yaist tae have them for pullin' the muck oot the cairts. And ah had the hawk intae the strae and ah hears the voice: 'Jist a meenit, Missus!' And ah jist flung the hawk doon and oot! And here it had been a tramp. Well, he'd got up wi' a ledder maybe. And that wis him in for the night. What a fright ah got! So ah took off. So some o' them went and they got him doon and he went away. And there were nae herm. He'd be in for the night. Ah could ha' been further along and put that hawk intae him! Ah jist thowght, 'Well, if ye'd gotten that intae ye ye widnae ha' been happy.' But ah got a fright, of course, as ah say. Ah wis jist sterted tae work then at Ladyrig.

Aye, there wis some auld worthies then. But there are nane now, ee see. They were hairmless an' a'.

Well, ah wis aboot three years at Windywalls then ah went doon tae Mellendean. That wis jist doon the road. Again ah went there for mair money. Ma mother and ma granny went wi' me. By aboot that time ma younger sister Ella she wis at domestic service her. And ma granny died at Mellendean. She wis 91. She's buried at Sprouston churchyard. They were a' long livers. Her auld folk lived tae they were a guid age. She wis a Moore, her kind wis Moores. Her faither wis a policeman, then Tom Moore wis superintendent at Gatesheid. And then ma mother had a cousin, Chairlie Moore, he wis at Flairs Castle. He wis heid keeper at Flairs. Oh, they were long livers, long livers.

So at Mellendean ma mother look-ed efter the hoose and cook-ed ma denner for me comin' in. She look-ed efter me. And ah learned tae drive a tractor. That wis at Mellendean, ah think ah drove a tractor at Mellendean. Ah wis quite a young wummin then. But ah like-ed the horses, ah like-ed the horses. When ah wis at Mellendean ah yaised tae gaun away tae Kelsae wi' the horse and cairt for coal, aboot ighteen hunderweight o' coal. Oo used tae get oor coal for a' the cottages. Ah yaised tae gaun away oot. It yaised tae be cheap then.

But ah kind o' fell oot wi' the steward at Mellendean, ah think, and ah moved on. Ah kind o' fell oot wi' the steward there. Oh, it wis ower the heid o' a pig he killed for us. He wis shepherd-steward. And he killed a pig for us and it wis jist a bad killin'. So oo lost the whole pig. And that pig wis twenty-fower stane. But, oh, oo lost the whole lot. So ah fell oot wi' the steward efter that. Ah says tae ma mother, 'Well,' ah says, 'oo'll jist have tae flit again, mother, for,' ah says, 'ah'm no' bidin' wi' that man.' Oo left there and ah went tae Baillieknowe at Stichill, on the other side o' Kelsae.

Well, ah work-ed, ah work-ed on the ferms right up tae ah wis fifty-twae year auld. And ah've din everythin' aboot the ferm. Ah've driven a tractor and everythin'. Ah've plooghed wi' the tractor, no' wi' the horse. Ah never plooghed wi' the horse. Ah've rolled wi' the horse. Ee yaised tae sit on the roller! But ah never did the plooghin'. Ah dinnae remember any bondagers ever plooghin' wi' the horse. But what did ee ca' her that bade doon aboot Cornhill? Hutchon? Ah cannae recall, it's sich a long syne. She wis a great yin wi' horses. But ah never plooghed wi' a horse. Ah never heard o' ony o' the weemin plooghin' wi' the horses. Ah did the harraein'. Oo yist tae dae the harraein', and oo were gaun ahint the cheen harrae. And ah used tae work wi' the tumblin' tam, and take the calf away – the strae frae the end o' the threshin' mill. There werenae really any jobs on the ferm – or the ploughin' wi' the horse – ah didnae dae. But ah never could drive a car. Ah never lairned tae drive, which wis a peety.

Oh, now ah wis in the hospital and ah had tae gie up frae Baillieknowe. Ah wis off and ah wis in the hospital. Then ah sterted tae work kind o' casual at Kersmains, near Roxbury.

And ah did that a' through ma workin' life on the ferms: ah moved on every few years. And the last bit ah wis at wis Scraezie – Scraesburgh. That's at Jedburgh. Ah wis there and ah work-ed seven days a week and ah had fower pound a week, for seven days a week. Ah hand milked seven cows, ah pail-fed a lot o' calves, suckled a lot o' calves. And ah had hens – ah had seeven henhoosefu' o' hens. Ah bred a' ma ain chickens, a' ma ain turkeys, geese and dicks. And ah had fower pound a week and ah work-ed seven days a week at Scraezie. Oo had the free hoose. And ah got ma milk, of course, and ma eggs for lookin' efter . . . Well, ah think ah wis due it!

And the fermer at Scraezie he used tae gaun away and leave me wi' cows calfin'. He'd be sayin', 'Jean, ah'm takin' the faimly oot for a meal. Wull ee be a' right? That cow's due tae calf.' Ah had an awfy tackle yae night. He went away and it wis a wild cow. He went away this night and this cow wis due tae calf, right enough. And she wis a wicked bitch. Ah had freends comin' and ah wis along in the byre. And they came and says tae ma mother, 'Where's Jean?' 'Oh, she's along in the byre. She's got a cow due to calf.' Well, oo wis beat. Oo had tae get the vet but ah never telled the fermer, mind ee. And ah left a note for him when he come hame. And ah says, 'Gaun doon and gie the cow a look,' ah says, 'ah had tae get the vet.' He never look-ed near her. And it had a calf – ee never seen sic a muckle calf. And she wis speelin' the wall. By, she wis wicked. So that was that.

Well, ah had tae really gie up the ferm work, for ma mother wis in ill health. Ah had tae look efter her, ee see. Ah work-ed, as ah say, ah work-ed on the ferm right up tae ah wis fifty-twae year auld. Ah worked until ah got merried. Oo wis late o' gettin' merried, Jim and me. Hei wis forty-nine and ah wis fifty-twae. So ah'd work-ed 38 years on the ferms.

Well, ah wis sorry tae give up ferm work, ah wis, right enough, because ah liked it. But, ah mean, there's naething tae it now – mechanisation. They've spoiled it a', ee see, they spoiled it a'. Ah think they spoiled it a'. They were the happy days then, ah mean, ee wis a' . . . When ee wis on the ferms then ee a' kent yin another. But nowadays, ee see, it's a' this contract work. There are nae workers, hardly any workers left. And a' thae nice hooses – isn't it awfy? – standin' empty. Ah mean, doon the Kelsae road there – ah think that's a nice place tae live – a fermer's jist lettin' thae hooses gaun tae wreck, terrible a'thegither.

So ah gave up workin' on the ferms when ah got married and had tae look efter ma mother. As ah say, they were the good old days. Oo hadnae very much but oo wis a' on the yae level then. Naebody had naething, ee ken. Oh, ma workin' days on the ferms they were happy days, they were right enough. Ee jist used tae think on how happy it was. Ah never wanted tae dae nithing else.

Agnes Blackie

All his life, I think, my father was on the farm – ploughman for a bit, and a cattleman, I think. I think it was mostly ploughman.

He and his family they were all born and brought up away down at Ryslaw, away down Berwickshire. His uncles were the blacksmiths there. I can remember my grandfather Blackie well. I think he would be the same, a farm worker as well. Oh, he was a Berwickshire man, too. Oh, I'd maybe be seventeen or eighteen year old when he died. I really can not remember how old he was when he died. Well, he looked an old man to me. But even when I think on both my mother and my father they looked old to me and they were only 66 both of them when they died.

My mother had worked in domestic service, I think, before she got married. I'm sure I've heard her speaking about, you know, her mistress. My mother was Berwickshire as well, she belonged Reston.

Now I think my grandfather, my mother's father, was a fisherman. Oh, I don't remember him. He was dead by the time I was growing up. I just have a vague recollection of my mother's mother, very vague. She died when I was, oh, sevenish maybe, or something like that.

Well, I was born in 1909, March the 15th, at Stenmuir. That was a farm place near Stichill, Hume way. Well, I think we were seven years there at Stenmuir. I think I have a vague recollection of the place – but very vague. But then it could have been maybe the third or fourth year my father was there that I was born.

He must have moved then to Fallsidehill, because I think I was age for going then to school. But they werenae so strict in these days and my mother wouldn't send me to school there for she thought it was too far for me to walk. At Fallsidehill there was a row of maybe – would it be six houses? I cannae remember. We were in about the middle. I know there was houses to either side, farm workers' cottages. Well, I think it would be what they call a kitchen and a bedroom down the stair, and then maybe a room and an attic place upstairs, like a boxroom, I think.

Oh, the lighting was lamps, paraffin lamps. There was no water in the house, none whatsoever. There was a standing tap outside, in between maybes so many of the houses. Several houses shared the tap, as far as I can remember. And there was a dry toilet to the back. We didn't share the toilet with anybody else, we had it to ourselves. Well, I cannae really remember the garden at Fallsidehill, but usually he had quite a big garden

After we left Stenmuir, where he was seven years, I think my father moved about every year for a bit, because there was quite a big family of us, and there was always somebody else maybe ready to work. There was ten of us. There was five sons and I had four sisters. And I'm the only one left out of them all. Bill was the oldest and then Tom, then Jean and Mary, then Henry and Alex. I came after Alex, and John was the youngest. He died young. My other sisters were Jessie and Winnie. There was about two and a half to three years between us. So between my oldest brother Bill and my youngest brother John there must have been about twenty years' difference.

So I think my father would go from Fallsidehill to Smailholm Mains first, and then to Sisterpath, that was nearer Greenlaw. And then I think I'm right in saying we went to Legerwood, between Earlston and Lauder. Legerwood was a very big farm.

I went to school when we went to Smailholm Mains. I went to Smailholm School. I would be six in the March of 1915 but I wouldn't start school then because the May term was the time they moved. You could start any time in these days, so it would be the May whenever I began at school.

And of course by that time the First World War was on. My oldest brother Bill was killed then. I've been told that Bill made himself older, to join up. He volunteered. I don't remember Bill going away but I can remember him coming home his first leave, because he'd had to stay all night in Newtown St Boswells and then he got the train down from Newtown to Gordon. And he walked home in the early morning. And instead of going round the road he had waded through a little stream – the Eden Water, I think they called it. He'd waded through that. I can remember him, because he had tartan troosers. He was in the K.O.S.B. I'd be maybe about five year old when he come home then. I wisnae at the school then. I think it was in France Bill was killed. I jist know he was killed with a sniper. None of my other brothers joined up in the war, just Bill. I remember it was a terrible blow for the family when he was killed.[35]

Well, I think maybe my father was at Smailholm Mains there either two or three years. I really cannae remember. So I wouldnae be longer than two or three years at Smailholm School. That was in the nature of farm workers' lives in those days, that they moved house every year or two, oh, especially if there was a big family. It was not only to get a bigger house but to get the school leaver a job, maybe for an odd boy or something like that on the farm, if it was one of my brothers.

From Smailholm we went it must have been to Sisterpath, nearer Greenlaw. But Sisterpath was just for the one year. Then we went to Legerwood and, well, we were at East Morriston for quite a while, because I left school then at fourteen. I went to four schools altogether. I suppose it didn't do my schooling any good to be moved around as often. I liked the school, I was always fond of the school. I remember being very sad when I was leaving the school. Oh, well, in these days there wisnae very much chance of staying on at the school.

As a girl I think I'm right in saying I'd like to have gone into the tweed mill at Earlston. Well, I mean, there was quite a few went to Earlston mill. My oldest sister Jean was in domestic service, but she was quite young married My other older sister Mary was on the farm. She went straight to work on the farm from school. But I did not like farm work. It was a very hard life for girls. But I suppose in these days there wisnae very much alternative really. It was the farm or domestic service, that was about all. I didn't have any particular ambitions as a girl. When I left school at fourteen I didn't go out to work at all. I was just at home, helping my mother. There were still younger children at home, there were still three below me, you see.

Well, I was cleaning, cooking, washing, that sort of thing.

At that particular time anyway the tweed mill never come off, because I had a very bad accident. I went through the windscreen of a car. Oh, I was reported dead. The accident happened outside Earlston. There's a junction of the road outside Earlston for Kelso and Gordon. Well, I was cycling down there with my brother Tom to come into a Fair Day at Earlston and the Gordon butcher had been to a sale at Newtown and was the worse of drink. And he was on his wrong side of the road. And naturally my brother went to his wrong side to get past the butcher. And the next thing my brother heard was the crash. When he jumped off his bicycle I was lying in the middle of the road and the blood meeting him. So I can't remember anything for three or four days. I came to in Edinburgh Royal Infirmary.

I had 48 stitches, a broken leg, broken thumb, and, oh, cuts right up. I got very little compensation. At that time, I think it was very little – I can't remember. I think I'm right in saying I had my fifteenth birthday in Edinburgh. And when I come home from there, well, it was quite a long time before I could do anything.

Then, oh, I'm trying to think, because my older sister Mary who worked on the farm turned very ill and she was off work for a long time. And I sort of filled in, I think, about two years for her on the farm. I took her place. I must have been about eighteen when I started working on the farm.

I worked on the farm at East Morriston for a very short while. I was employed there as a bondager. Really what I did there was very, very little. Feed some sheep, I think, and single turnips – I think that was about all I did at East Morriston.

And then we moved up to Greenend. That's two miles from St Boswells. I was hired with my father up at Greenend. My father went to Earlston hiring fair. I can't remember if I went with him. I can't remember being at the Fair anyway. Oh, well, it had been that sort of day when I had the accident some years before. It was a Fair day, a hiring day. Well, I suppose the hiring day was about the only day that the farm workers got as a holiday, because they didnae have a Saturday then. And, oh, there were no annual summer holidays either. I think they got New Year's Day and the hiring day. I couldn't say if they got paid for New Year's Day. Well, I suppose there were only really about two days' holiday a year? They didnae have a Saturday half day or anything as far as I can remember.

Would I be right in saying my wages were maybe about 22s. or 23s. a month?[36] And it was from six in the morning till five at night, six days a week – Saturdays as well.

So when I went to Greenend I did the sort of routine farm work. I liked the hay time and I like the harvest – being out in the harvest field. It was very heavy work for a girl. But the farmer was very good. There was two girls of us, and he used to come out and take the fork from one of us and, you know, do a bit and then take the other one and do a bit. So that relieved the burden a wee bit.

Well, I don't really remember the working hours at East Morriston very much at all. But it was from six o'clock in the morning at Greenend. That was when you had to be down in the stable to get your orders for what was going to be taking place that day. Well, there was a steward who gave you the orders. I suppose maybe the farmer would see him the night before – I don't know. But it was the steward, he went down the line and gave everybody their orders. Well, I suppose the men with their horses, they would have been down early, seeing to their horses, even earlier than six o'clock, to get them fed and watered and harnessed and so on.

Well, when I was at Greenend there was Mr Borthwick, the

steward. My father was the cattleman there. There was Peter Smail, ploughman. Mr MacKinnon and his son were both ploughmen. There were maybe four or five ploughmen, and the cattleman. And then the shepherd, he was separate. And the two girls. Oh, and the other girl's father, he was another ploughman. So there would be five ploughmen.

Oh, I never had my own horse! But once or twice the two girls of us were given this horse and cart to go and lay down turnips. And, by Jove, neither of us liked it. We were very nervous of horses. Oh, they take a bit of handling if you're not accustomed to them. Well, I've heard some of the women speaking about being on a roller, rolling the field. But they would never sort of plough. Oh, that was regarded as a man's work, absolutely. That was looked on as a skilled job.

Well, it would maybe be no' the full two years I worked at Greenend, because I think by that time they were trying to do away with women. And both the other girl and me went to service. Oh, if things had been different I wouldn't have preferred to remain at work on the farm. Oh, I didn't really enjoy farm work at all. Well, I think – shawin' turnips in these cold, cold bitter mornings. No, I jist never was happy working on the farm. Except, as I say, maybe in the hay time when it was lovely and warm and there were other people to speak with, and we were all sort of together then.

Oh, it could be quite a lonely job. Well, I think, as far as singling went, there would be always two or three of us.

I could have been about 21 or 22 when I went to domestic service. I didn't mind going to service, I didn't really. I think I had really got past preferring to have got a job in the tweed mill, because some of them used to say the noise was terrific, and the heat.

Well, I went from Greenend, as I'm saying, when my folk were still there, I went to Gattonside. And I'd maybe be there two years or maybe three when I got the chance of a job in St Boswells at the Green there. So I was in St Boswells all the rest of the time. I liked that. And I finished up down at the doctors', working for them. And I was there twenty-six years. So I was in domestic service maybe about 48 years altogether.

Agnes Blackie

I retired when I was about 69, and I had begun in service when I was 21 or 22. Oh, I enjoyed that kind of work. I was always fond of housework.

I lived in both at Gattonside and for a while on the Green. Then my sister Mary who'd worked on the farms and me got a council house in St Boswells. My parents had died before that. I carried on working then as a domestic worker. I always liked that sort of work and I was always so lucky to feel at home in these places. It was Dr Clark in St Boswells I worked for. He was a very, very clever doctor. It was a very interesting job and a super couple. It was just like home.

So I never had any regrets about giving up the farm work, none whatsoever.

Edith Hope

Oh, ah'd jist left the school and we went tae Middle Toon. Ma father wis the first ploughman at Middle Toon. Ah didnae ken what ah wis gaun tae be. Ah wis jist putten intae harness right away. Ah had tae work. Ah worked in the big hoose at Middle Toon for a year.

Ah wis born at Oxton in Berwickshire, the 2nd o' March 1910. Ma grandfather he worked on the roads and ma father wis on the farm. Oh, ma father he wis always a ploughman. Well, he wis the first ploughman. Well, he gave the orders, ee ken. He didnae always work in Berwickshire. He wis at Selkirk and a' roond aboot Selkirk a while – at Philiphaugh and thae places. And then he came tae the Booerhoose – the Bowerhouse. That wis a farm a mile and a half frae Oxton. He wis workin' there when ah wis born.

Ma mother used tae work on the farm afore she wis married. She wis a bondager. She belonged Oxton in Berwickshire, oh, she wis really Oxton. Frae the time she left the school she wis the servant in a hoose at Oxton, in a big hoose there. Ah cannae mind the name o' the folk. But she work-ed there in the hoose, ye ken, the big hoose. She worked at Netherhowden. She wis tablemaid there, and then she went in for cook. And then she got on tae the ferm efter that. Well, ah think it wis jist wi' ma father comin' tae the farms. She jist sort o' got intae the farms. She wis hired as a bondager. Oh, ah think she would be about twenty when she became a bondager, maybe older, maybe aboot twenty-three or somethin' – she wis in her early twenties. And then she went on tae the farm at Hartside at Oxton.

Oh, she often used tae speak aboot workin' on the farms. She like-ed workin' on the farm. She didnae find it hard work.

Ah didnae either. Ma mother wis like me: efter she got married she jist went out when she wis needed in the busy times, jist the same as what ah did. She did that tae she wis aboot over forty. And then she stopp-ed workin' on the farms. She jist stayed in the house, and after ah wis married she used tae make the dinners for us comin' in and that.

As ah say, ma grandfather – ma father's father – he worked on the roads. He didnae ever work on farms. He wis a roadman. He did the roads, ye know, there used tae be stane-breakin' on the side o' the roads, and that's what he did wi' the county council.

Ah remember the house ah lived in at the Bowerhouse. Ma mother and father were there four years, ah wis four when we left. Ah wis the only one then in the family. Ma brother Jim he's ten years younger than me. He wis ma only brother. Well, at the Bowerhouse it wis a livin' room and two bedrooms. It wis jist called the kitchen in thae days. There were nae livin' rooms or anything, it wis jist a kitchen. There were two beds in the kitchen. Ma parents they slept in the kitchen. Ah slept in the other bed. Well, jist if anybody came or anything, the bedrooms wis used. That wis a'. Ah never slept in the bedroom, jist the kitchen.

It wis jist lamps, paraffin lamps. Tae cook on, it wis a grate. It wis yin o' thae auld fashioned grates with a ring. Well, 'twasnae a range, it wis an open fire, but it wis a grate. Ma mother had a wee oven at the side. She didnae have a wee tank for hot water. Oh, she had tae boil a' the water in a pan or a kettle.

At the Bowerhouse there wis jist a dry toilet outside in the garden, at the back, jist right at the back o' the house. Oo hadnae nae baths. It wis jist thae tin baths in front o' the fire. Oh, that wis the usual thing in those days.

When ah wis four ah went tae Threeburnford. That wis aboot two miles frae the Booerhoose. Well, it wis a wee bit smaller than the Booerhoose. Ma father wis always the first ploughman. Well, ma fither wis on his own there, there wis nae shepherd, the boss did the sheep. At the Booerhoose there wis three plooghmen and an odd laddie, a cattleman, and a shepherd. There were nae weemen that work-ed there, or at Threeburnford

Threeburnford wis much the same hoose. It wis jist one room less: it wis jist one bedroom and the kitchen. The two beds wis in the kitchen and ah slept in the kitchen again. Oh, it wis jist a dry toilet at the end o' the house. Jist paraffin lamps again and jist an open grate.

Threeburnford wis quite a nice hoose. It stood at the side o' the railway frae Oxton tae Fountainha'. Ken, the railway wis at the back o' the hoose. And when oo wis away we yaised tae get off the train there, at the back o' the hoose. Oh, the driver stopp-ed and let us off there. Oor ain private station! And ma faither yaised tae gie the enginemen a bag o' tatties or somethin', ye ken, for stoppin'. It wis jist a branch line. It came from Lauder.

I started the school at Threeburnford. Ah went tae Oxton School. Ah walk-ed over the hill. Well, if ah'd went the road ah had six mile. It wis six miles frae Threeburnford tae Oxton if ah walk-ed the road, ee ken, along by Mountmill and Burnfoot and out by Airhouse, and down intae Oxton – that's six mile. But if ah walk-ed the hill ah jist had a field and then the hill and then ah'd three fields tae gaun through, and ah come off at Overhowden and walk-ed doon intae Oxton. Oh, it wid be aboot three mile – half the distance. Ah went always the hill, always the hill. Ah wis jist masel', ah wis jist on ma own. Ah wis six when ah started the school at Oxton.

Oh, ah wisnae feared. Ma mother yist tae be feared. She yaised tae bring the dog at night, ye ken. Ah didnae come out the school till fower o'clock and of course it wis dark in the winter or ah got hame. Ah used tae be out there but, oh, ah kent the hill. Ah used tae shout tae ma mother, ye ken, ah kent she wis comin' tae meet iz. And she jist had tae staund because she couldnae follow the road. Well, she jist didnae ken the road like me. Ah wis never feared, no' even in the winter dark. And ah jist walked masel'.

There were nae other bairns went tae the school frae Threeburnford. Well, ah got thame at Overhowden. Ah catched up on thame, the Tylers, at Overhowden, that wis between Threeburnford and Oxton. Well, then there were four o' us. But when they stopp-ed at Overhowden on the way hame ah wis on ma own efter. Ma mother she yaised tae come up tae the top o' the road and through the field tae meet me. She never come through the hill. She stopp-ed at the gate because she said she would ha' lost hersel'. But she aye came tae the gate. And she used tae roar through the gate and ah used tae roar back: 'Stand there and ah'll be here the now!' Oh, ah wisnae a bit feared, never thought a thing aboot it.

Oh, ah liked Oxton School all right. It depended on the teachers. Oh, there were jist the two at Oxton: the big room and the wee room. Ah wis in the wee room: Miss Purves. Oh, there wid be aboot twenty tae thirty bairns in the wee room at Oxton School. There were a lot o' wee yins, a lot o' wee yins like masel'. Ye see, there werenae sae many big yins because the big yins as they got a wee bit bigger they went tae Lauder. They left Oxton School and went away tae Lauder, ee see. That wis their school. They left at nine. Ee were at Oxton frae five tae nine and then ee had tae go tae Lauder.

Oh, there'd be aboot thirty bairns, ah think, in the big room at Oxton when ah wis there. There were quite a lot. Ye see, there were a lot on the farms went intae Oxton School, from Hillhoose and Carfrae and Oxton Mains and a' thae places a' roond. Oh, there were a lot o' bairns in those days. And, ye see, there were a lot o' farm workers. The houses wis a' filled. Netherhowden had six hooses, and then the twae herd's hooses. Oh, there were bairns in a' thae hooses. Oh, there could ha' been fifty or sixty bairns at Oxton School, roond aboot that.

Ye had tae take your piece tae the school. And ye had tae take your tin flask wi' your tea. Ye'd get it up agin the stove, a big stove, in the middle o' the flair, and pit it up agin there in the mornin'. At dinner time oo had that. Oh, there were nae school dinners in those days. Oo had tae cairry oor ain. Oo never got soup at Oxton School in the winter, never got anything like that. Then oo got oor denner at hame at night.

That wis a year that ah wis at Threeburnford. Oo wis only a year at Threeburnford and then we came tae Halltree –

that's jist up the Heriot Water way, near Heriot. At Ha'tree there wis ma father as first ploughman and twae other yins, and a cattleman and a shepherd – five workers. There were nae weemen workers there.

And then when oo came tae Ha'tree ah went tae Fountainha' School. Ah walk-ed there four mile and four mile back. Halltree wis up the main road, frae Edinbury tae Galashiels. And oo jist walk-ed along and then oo went through a field. It wis jist a cairt road doon tae the bottom and then up tae the Brockhoose, and we met in wi' three or fower at the Brockhoose and walk-ed tae Fountainhall. And then ah had a chum, Kate Douglas from Halltree. They came that year we went tae Halltree, they flitted in the same year.

So Kate Douglas bade next door tae us at Ha'tree and, oh, oo met and walk-ed tae the school at Fountainha'. She wis jist the same age as masel'. Oh, there were a lot o' lassies there. And then we had a lot o' chums, ye ken, up at the Brockhoose. Oor chums wis there.

Well, at Fountainha' School there wis jist two teachers, Mr Greenshields and his daughter. He wis the headteacher, Greenshields, and Miss Greenshields, his daughter, wis teacher o' the wee room. There were no' so many bairns at Fountainha' School as Oxton. There were a lot o' ferms roond aboot but there werenae so many bairns, ah dinnae think, came, ye ken. Oh, there wid be somewhere aboot thirty or forty in the two rooms. Efter oo wis eleven year old they went tae Stow, we came tae Stow School.

Ah like-ed the school at Fountainha'. Ah like-ed geography and history. Ah wis keen on a' thae and, well, spellin', ah wis no' bad at spellin'. Sums – ah didnae like thame: sometimes ah did, sometimes ah didnae. But ah couldnae see right and ah jist got a pair o' glesses. Ye ken, if they were pittin' doon a seven ah yaised tae take it for a nine and a' this, and then ah got a row! But ah couldnae see! It wis then ah got the glasses. Oh, ah couldnae see the sums at a'. Ah wis twelve when ah first got glasses, oh, things improved then. Ah got better at ma sums yince ah seen the blackboard right. Oh, ah couldnae see if it wis a nine or a seven, ee see. But ye didnae get medical examinations at the school, oh, there were nae nurse or doctor came tae examine the bairns. There were nithing like that.

Oo yaised tae get a whupper-in. Oh, ah wis absent twae or three times, right enough. But it wis through the doctor like, oh, illness. Ah never kipped the school but, oh, some o' the boys did, some o' thame did. The whipper-in yaised tae come – Mackenzie, Jim Mackenzie. Gorebrig, he came frae Gorebrig. Oh, ah dinnae think he'd been a miner or a soldier, ah think he wis mair intae architect work. He used tae dae a lot o' architect's stuff, ye ken. Ah think he wis a builder o' some sort, ah think he wis intae that, he wis intae that type. Oh, he never come tae see ma mother! But oh, he yaised tae come tae others.

But Page wis the doctor yince and he came and of course ah wis in ma bed. Ah wis no weel. And Mackenzie came and, oh, he wis awfy ill-tempered. Ye ken, he wis awfy thingamy. So ma mother said tae him, she says, 'Well, ah cannae help it. This is the doctor.' Oh, Mackenzie he didnae like ye bein' off. But we didnae bother, no' me, onywey, ah didnae bother. Ah didnae have cause tae be frightened o' Mackenzie. Oh, if ah wis a' right ah wis aye gaun tae the school, right enough.

Oh, there wis a lot o' whoopin' cough and measles in thae days among the bairns, oh, there wis a lot o' that. But Oxton and Fountainha' Schools they didnae ever close for that. They were never really closed for measles or that, nane o' the twae o' them.

At Fountainha' School ah didnae like Miss Duffus. Ah didnae care for her. Miss Greenshields wis at Fountainha' at first, but then when she left Miss Duffus came. Then Miss Duffus she merried Johnny Porteous. He wis a local ferm worker. He came frae Over Shiels. His fither wis on the ferm. And Miss Duffus merried Johnny. Oh, she cairried on teachin' for a while. Oh, she jist took a spite oot at yin and this wis it. It wis gey often it wis me. She wis a wee bit bad tempered. Ah didnae bother. Ah like-ed Mr Greenshields. Oh, ah like-ed him. Oh, we used tae gaun and meet him at denner time and that. We yaised tae gaun along tae the schule gate and meet him.

There wis nae schule picnics or anything. Well, we yaised tae have a schule picnic but it wis jist tae Houliston. That's a ferm place, it's jist at Fountainha'. Oh, at Oxton School it wis jist the same. The picnic wis jist an afternon. Oo never had a picnic tae Spittal or Dunbar. There were nithing like that.

Oh, when ah wis at the school we used tae gaun away – ma mother and father and me – for a week. Oo got a week's holiday. Well, it wis jist a case o' goin' intae Hilltoon ferm in Midlothian, near Portybelly, tae ma Uncle Dave and that, ee ken. Ma Uncle Dave work-ed on the ferm there. Oo never wis away at seasides or onythin'. Oo used tae gaun tae Hilltoon for a week by train. Oo got the train at Fountainha'. It took oo right up tae Edinbury and then oo changed at Edinbury.

Oh, oo got away for a week. Ma father had a week's holiday. Oh, he always had a week's holiday. Well, it jist depends on your bargain. For he made a bargain wi' the fermer. Afore ye went tae the ferm ye got it. Oh, ma father he aye had his week. Oh, most ferm workers they never got a week-end or nothin'. But it wis jist if ee made your ain bargain.

And then when ah wis at the schule ah yaised tae gaun a lot tae Hawick. Ma Auntie Margaret wis at Hawick. She stopped in Hawick and ma three cousins. Ah went tae Hawick in the school holidays. Ah jist went doon tae Fountainha' station and on the train masel'. Ah'd be twelve, gettin' on for twelve. Oh, ah jist managed. Ma Auntie Margaret met me at the other end. Ah stayed wi' her for the six weeks, oh, ah wis there a' the six weeks wi' her. Ah like-ed Hawick. And ma cousins they a' work-ed in the mills and ah used tae gaun and meet them. And they a' got oot at different times, and ah used tae gaun and meet them a' at the mills. Oh, they were aulder as me ma cousins. There were a park at Hawick and durin' the day ah jist played in it. Oh, Hawick wis a mill town in those days. It wis jist like Gala, there were a lot o' mills.

Efter the school, at night, oh, oo jist played games. Ah learned tae knit as a wee girl. Ma mother encouraged me tae knit and ah yaised tae darn an' a', an' a' that. And, oh, well, ah did a lot o' sewin' efter ah wis left the school but no' sae much before that. And ah wis interested in learnin' tae cook when ah wis a wee girl, and ma mother encouraged me. And then oo got cookin' lessons at the school. Oh, ah liked those.

Ah never wis in the Brownies or the Guides, ah never wis in thame. Oh, nithin' like that, there wis naethin' like that then, no' in the country. Oh, ah had tae go tae Sunday School. Ah got a Bible for three years' perfect attendance. Ah never missed it, oh, at Fountainhall ah never missed it. Oh, ma mother and father went tae church regularly. They were there Sundays, oh, aye. Ma mother wis a Sunday School teacher, she wis a Sunday School teacher at Oxton Church o' Scotland.

Oh, ah like-ed climbin' trees. Ah think ah wis a bit o' a tomboy, ah think sae. Oh, there were plenty bairns tae play wi' at Ha'tree. Ah wisnae a reader. Ah'm no' a reader yet. Ah like the news, ye ken, but that's a'. There werenae a library at the school, there werenae a thing like that. Ah never got a comic at home, ah never got yin. Ma mother and father werenae readers, they didnae read much either.

The hoose at Ha'tree, oh, well, it wis jist a room doon the stair and the kitchen. And it wis a trap, ken, it wisnae a right stair. It wis a trap – it hung on the wa' – and ye pu'ed it oot. Ee jist pu'ed it oot and went up it, ee ken. Ee had nae sort o' stair or nothing. It wis jist a ladder. It was agin the wa' and ee pu'ed it oot. Ah slept up the stair at Ha'tree. Ah didnae mind sleepin' on ma own. Ah had a room tae masel'. There were twae rooms up the stair, but ma mother and father they slept doon the stair in the kitchen.

Oh, at Ha'tree it wis paraffin lamps. Ah went tae bed upstairs wi a wee lamp ah had. Ah wisnae allooed tae cairry it. It wis up the stair and ma mother lit it when ah went up. She jist lit it and that wis it. Oh, she had candles but ah wisnae allowed tae use them. And the fire again wis jist the grate, the open grate. But at Ha'tree ma mother yaised tae have a primus. She had yin o' thame.

It wis a dry closet – doon at the fit o' the gairden. Ye had tae the fit o' the gairden tae gaun, along by the side o' the pownd. Oh, there wis nae water in the hoose. Oh, oo'd tae cairry water frae ootside. At the Booerhoose, Threeburnford and Ha'tree oo'd tae cairry it frae ootside. And Ha'tree wis the worst. It wis a drain, a drain dug, and ye had tae gaun up and get it. Oh, it wis a guid bit up frae the hoose. Oh, ah used tae gaun wi' the pail tae cairry the water. Oh, it jist depended how often ye had tae gaun. Well, I used tae bring it in when ah came hame frae the schule. Ah yaised tae bring twae pails, and that lested us tae the next day. Then ma mother and fither they collected it in the mornin'. Ma fither used tae get it in the mornin'. So ee had fower pails o' water tae cairry every day. On the washin' day ah yaised tae help tae fill the bath, and they filled the big tub, and they filled the pot and thae kind o' things, ee ken. Oh, it wis aboot a day's cairryin' o' water if ma mother wis washin'. Oh, ah used tae help in the hoose when ah wis at the schule.

Ma mother had three brothers and they ludged wi' ma mother. At Ha'tree they slept up the stair in the other bedroom. They had ludged wi' ma mother at Threeburnford, tae. They werenae married then. They got married efter the 1914–18 war wis finished, the three o' them got married and went away.

Ah can mind o' ma Uncle Jim gaun tae the war. He worked in the wids. He wis a widcutter. Ma mother had the three brothers and, as ah say, they ludged wi' ma mother. And of course when the war broke oot they were a' cried up, ee see. Oh, they were called up, they didnae volunteer. If they'd work-ed on the farm they widnae need tae went, but wi' thame bein' in the wids of course they got nae option.[37] And ah mind o' ma Uncle Jim comin' hame on leave and ma mother goin' oot intae the washhoose. And he had tae take his claes off oot there, and ah wis fair upset aboot it. Ah yaised tae greet, oh, jist thinkin' she wis bad tae him tae make him take his claes off in the washhoose. But it wis for the beasts – the lice. They were covered wi' lice. Aye, covered in lice, he wis. And she yaised tae take his claes off and then she washed them oot in the washhoose. And his tunic and his troosers wis a' pressed wi' a hot iron, a' the seams wis a' pressed. So he wis a' clean and well pressed when he went back. Then he got his other claes on, his civvy claes on. And then he wis a' ready tae go back.

Ma Uncle Bill wis never in the war. He wis lucky him. He took the scab on his face, ringworm they ca'ed it. And his face wis covered that day he went tae the doctor and the doctor widnae look at him! That wis it! He wis lucky, he never got tae the war. So nane o' ma uncles wis killed in the war.

But, oh, ah remember Jim Cairns wis killed in the war. Oh, ah kent Jim Cairns. He came frae Hawick, he wis ma uncle's chum. He wis jist killed beside ma Uncle Jim. He wis in France when he wis killed. They were in the K.O.S.B.s That wis the usual regiment roond Ha'tree and that. They were a' in the K.O.S.B.s – Jim Cairns and Jim Cockburn, and they wis ma Uncle Jim's chums. But Jim Cairns never came back frae the war, he wis killed.[38]

Well, roond aboot Ha'tree there wis really nane o' the young fellaes away because they were a' on the ferms maist o' them, ee ken, they werenae ta'en up. If they worked on the ferm they got off. But if they were daein' onything else – maybe in a garage, or somethin' like that – they were cried up and that wis it.

Well, ah wis only at twae schools, Oxton and Fountainha'. Ah wis nine or jist aboot ten, ah think, when ah went tae Fountainha' School. Ah wis at Fountainha' tae ah left the school when ah wis fourteen. Oo wis fower year at Ha'tree. Oh ah'd jist left the school and we left Ha'tree and we went tae Middle Toon. Ma father wis fower year at Ha'tree. But he left because there wis a pownd at the bottom o' the gairden, a big pownd. Well, ma brother Jim he wis born at Ha'tree. He wis ma only brother. He's ten years younger than me. And Jim aye went tae the pownds and of course he wid only be about a year auld, he wis jist walkin'. And ma mother wis feared, ee ken. He'd nae length tae gaun tae the pownd, jist doon the gairden and the pownd wis at the bottom. And she got Jim yin day on the sluice. So that feenished it! Ma mother told ma fither jist tae move. Then oo went tae Middle Toon. That wis a ferm place between Stow and Heriot. Oh, Middle Toon wis a wee bit bigger as Ha'tree. Ma fither wis first ploughman and there were twae other yins, and the dairyman, and a steward and twae shepherds. Nae weemen worked at Middle Toon.

Ah remember the flittin'. When oo flitted frae Ha'tree oo had tae cross the railway, and it wis a brae up on tae the main road. And ma mother said, 'Now if that horse reests and gauns back and a train comes . . . !' And she wis terrified. But it wasnae tae happen. The horse went up that brae and it never even reested.

Every time oo flitted oo got a reested horse. Ye ken, when ye put it intae the cairt it wouldnae gaun. It reested, it stopped. It didnae want tae move – it reested. Oh, it jist didnae want tae move. Every time that wis the horse that reested that had the best stuff, ee ken, it had the chinae and thing on't o' the flittin'. Ma mother aye needed four cairts for the flittin'. And every time they flitted oo got a reested horse.

The fermer gave ee the horse and cairt for the flittin'. Well, ee see, if you wis flittin' oot o' this hoose and somebody else wis comin' intae it they used tae change. They wid take their horse and cairt wi' their furniture and take it tae the certain ferm. And then you'd get your furniture frae there by thame. And they yaised tae gaun away at night wi' their horse, ee ken. Oh, the flittin' wis at night. It wis jist tae give the horse a rest. So the flittin' wis at night, well, the horse wis there at night, no' in the mornin'. When ma fither wis finished, when he wis finished workin' at the ferm then, ee see, they came wi' the horse and cairt frae the next ferm, and then they started tae load some o' the furniture – no' it a', but some o' it. And then they feenished it off in the mornin'.

So when oo flitted frae the Booerhoose tae Threeburnford the fermer at Threeburnford sent the horse and cairt, no' the fermer at the Booerhoose. Well, they came aboot seven or eight at night. And then they didnae load some o' the furniture on – not it a', but some o' it, ee ken. Oo slept in the hoose daist. The men slept in oor spare room, and then they loaded on the rest o' the furniture in the mornin' – the beds and that – and oo set off wi' the flittin' in the mornin.

Edith Hope

Oh, ah can mind flittin' frae the Booerhoose tae Three-burnford when ah wis four, oh, aye, ah can mind it, right enough. Ah sat in the cairt. Ma mother and fither had aye four carts. And oo wis the last, oo yaised tae sit in the last yin. And there were coals and the sticks, and jist the shed or somethin' – jist odd things. They were on the last cairt. And on sat on the last yin, ma mother and masel'. Ma father had the horse, he drove the horse.

And oo'd pigs, oh, oo aye had pigs, and oh, oo flitted them an' a'. Oo flitted them in a box, jist oo had a big crate tae put them intae in one o' the cairts. Oo never had a cow. Ma granny and grandfaither had a cow at the Booerhoose. They had a cow and pigs and hens. But oo never had a cow. But if they had a cow, oh, well, when they flitted they wid jist traivel it. They'd jist take it the day before. The man he wid jist take it wi' him.

Oh, ah remember seein' ferm workers flittin', oh, it wis a common thing wi' cairts. There were nae lorries or onything. And it wis aye the ferm that the man wis gaun tae that provided the horses and cairts.

So ma mother she wisnae nervous, but she aye had imagination, ee ken, when oo flitted that that horse wid reest. And it did, ye ken, it reested aye. But when oo went frae Ha'tree tae Middle Toon it wis a' right that day. The horse went up on tae the main road nae bother.

So, as ah say, ah'd jist left the school and we went tae Middle Toon. Ma father wis the first ploughman at Middle Toon. Ah didnae ken what ah wis gaun tae be. Ah wis jist putten intae harness right away . Ah had tae work. Ah worked in the big hoose at Middle Toon for a year.

In the big hoose the work ah did wis, oh, jist a little o' everything. Ah wis a skivvy. Ah didnae live in the big hoose, ah bade at hame. Ah started in the mornin' at six o'clock. Ah wis up at half-past five. Oh, ah had a cup o' tea afore ah went up tae work. I had six kye tae milk. Ah hadnae milk-ed before. But ah jist had tae start and learn. Ah did it a' jist masel'. Oh, there wis naebody tae show ee, ye'd jist tae go on wi' it. So that wis ma first job at six o'clock in the mornin' –

six cows. Ah milked them in the byre. Oh, sometimes ah milked them in the summertime in the open field. It wisnae mair difficult as milkin' them in the byre. They stood still, ah jist gave them somethin' tae eat – cornins – and they stood grand.

Efter ah milked the cows ah had tae do the hens. That wis the only ootside work ah did at Middle Toon. The rest o' the work wis in the big hoose.

Ah got ma breakfast at eight o'clock. Oh, ee stopp-ed jist half an hoor, whiles no' that. Ah got ma breakfast in the big hoose in the kitchen. Oh, ee got jist onythin', sometimes porridge and sometimes cereals o' some kind. Ee never got bacon. Jist porridge, cereals, jam pieces, and that wis it. That wis your breakfast.

Oh, well, then ah jist had tae wash the breakfast dishes and dae the kitchen flair, wash it or soop it, or onythin'. Oh, ah had the ironin', washin' and ironin', dustin', makin' the beds, sweepin' the floors. There were nae Hoovers in thae days. Ah used jist an ordinary sweepin' brush an' a shovel and get on wi't!

It wis a big hoose at Middle Toon, a big hoose. There were five rooms. The fermer and his wife they had six bairns: they had three lassies and three laddies. So there were eight livin' in the big hoose. Oh, ah had tae make the beds for a' o' them, oh, aye, ah wis daein' a' that. So ah made eight beds and swept a' the rooms and dusted. They werenae polished. Oo didnae polish the things – furnitur. It wis only done at the cleanin' times. There were nae furnitur polished when it wis, ye ken, jist ordinary dustin'.

Well, ah did that frae aboot half-past eight every mornin' tae dinnertime at twelve o'clock. Ah got ma dinner at the big hoose. Oh, the food wis quite good. Well, jist the kail, and tatties, and meat o' some kind, or a puddin'. Jist much the same as oo'd hae at home, jist much the same. Oh, ah sat jist masel'. Oh, ah didnae sit wi' the fermer and his family. They were in the dinin' room. Ah wisnae in there, ah wisnae guid enough! They never ask-ed me tae sit wi' them. Ah didnae bother. Ah'd rither be masel'. Mrs Elliot, the fermer's wife, made the food and jist left it on the table for me, and that wis it. Oh, ee didnae get an hoor for your denner. It wis jist a case o' gulpin' your denner and away washin' the dishes. And then ye cairried on doing cleanin' and dustin', cleanin' windaes. Oh, ah'd tae help wi' the washin'. There wisnae another servant, there wis jist masel', aye, there wis jist masel'.

Oh, oo got oor tea aboot six, efter the kye wis in. Ah'd a' the kye tae milk again, between four o'clock and six. Oh, ah got a cup o' tea in the efternin, ten meenutes' break. That wis jist afore ah went tae milk the kye, maybe aboot quarter tae four. Ah got maybe a scone or a biscuit then, jist a snack. Efter ah'd milked the kye ah got ma tea. Oh, jist aboot an hoor ah used tae have for ma tea, maybe between six and seven o'clock. Oh, ye got a cooked tea o' some kind: bacon and egg, or scrambled egg, sausages, something like that – liver, maybe a bit fish sometimes, jist the usual. It wis left in the kitchen for me again, and ah sat masel'. Ah didnae feel lonely there jist' sittin' masel', ah didnae bother. Ah aye got aboot an hour for ma tea, ah wisnae driven on then. Ah got a bit longer for it than at denner time. Maist o' the work wis din by then, ye see.

And then ah jist work-ed on frae seven tae nine, cleanin' and dustin and that. Ye'd aye somethin' tae dae.

Oh, the wages wisnae very great: ten shillins a week, ah think. Ah work-ed every day, Saturday and Sunday as well, seven days a week, for ten shillins. Ah started at six in the mornin' and ah finished aboot nine at night. Ah wis workin' aboot fifteen hoors a day, frae six in the mornin' tae nine at night, seven days a week. Ten shillins, that wis ma wage. By God, they widnae dae't now. Ah widnae dae't now. Ah wis daft. But ah quite like-ed workin' at Middle Toon. Ah didnae mind then workin' thae long hoors for ten shillins a week.

Ah gien a' ma wages ower tae ma mother and then she gien me somethin' back if ah wis gaun onywhere, ye ken. She usually gave me somethin' back. Ah got twae shillins, and that wis ma money! Well, it's astonishin' where ee could go at times, ken. Oh, jist gaun maybe tae the shop at Fountainha' and get some sweeties. Oh, ah didnae go tae dances as young as fourteen, oh, ah'd be seeventeen when ah started goin' tae dances. Ah didnae like the picturs, ah didnae like them. Ah never went tae a pictur hoose. The nearest yin wis Galae and that meant gaun on the bus – oh, mair money. Ah didnae go often tae Galashiels frae Middle Toon or frae Ha'tree, oh, jist a rare occasion ah went. Ah didnae gaun often.

Ma mother made ma claes, she wis a dressmaker, ee see. Oh, ah wis lucky that way. Ah didnae gaun tae Gala tae get new clothes, oh, ma mother made them jist.

Ah work-ed in the big hoose at Middle Toon a year. Then ah got a job in Lauder wi' Mrs Doughty. Ah didnae apply for that job. Mrs Doughty came seekin' iz. Oo wis at Wanton Wa's – Wanton Walls – at the time. That's at Lauder. Ma fither wis there at Wanton Wa's. Oo'd moved frae Middle Toon tae Wanton Wa's. That wis when ah left ma job in the big hoose at Middle Toon. Ah jist left. Ah didnae have a job. So Mrs Doughty had heard ah lived there. Ah wis fower year wi' her. Oh, she wis a' right. At Lauder it wis a' inside work, there were nae ootside work. It wis jist the same work as at Middle Toon – dustin', cleanin'.

Mr Doughty belonged Ancrum. He wis a banker, he wis in the Bank o' Scotland at Lauder. Oh, they were a nice couple. Ah like-ed them. They had nae family.

Ah bade in at Lauder. Ah didnae come hame. So ah left hame when ah wis fifteen. Ah had ma ain bedroom at Mrs Doughty's. It wis quite a decent size. Oh, it wis a' furnished. Oh, ah had a bed and a dressin' table and a wardrobe and a nice chair, an easy chair. It wis quite a nice room.

There were nae runnin' water in ma bedroom. There were a bathroom. They had a bathroom and ah got tae use their bathroom. Oh, ah wis allowed tae use their bath. So that wis the first time ah'd lived in a hoose wi' a bath in it. Oo had jist had the tin bath, that's a', in front o' the fire. Oh, at Mrs Doughty's it wis a bath wi het and cauld runnin' water. And, oh, they had a flush toilet. Oh, the farmhoose, the big hoose, at Middle Toon had had a flush toilet. The cottages at Middle Toon hadnae. Ah'd never lived before in a hoose wi' a flush toilet. The first yins ah wis allowed tae use wis at Middle Toon big hoose and at Mrs Doughty's in Lauder.

Oh, it wis seeven in the mornin' when ah started work at Mrs Doughty's, an hoor later than at Middle Toon. Oh, that wis a wee bit better. Well, then it wis jist the same work, jist the hoose work. Ah wis the only servant, the only yin that wis there. Jist ye worked on tae aboot eight o'clock and got a cup o' tea at eight. That wis your breakfast. Ah got that jist in the kitchen by masel'. Then ah worked on tae dinnertime. Ah didnae get a break in the mornin'. Dinner time wis twelve o'clock. Ah made the dinner for Mr and Mrs Doughty. Ah wis off efter that. Ah didnae dae nothing efter dinnertime. Ah jist washed the dishes and that wis it. And ah wis feenished tae five. Ah started work at five again – made the tea jist. Oh, ah wis daein' some cookin'. Mrs Doughty didnae gie me instructions aboot cookin', oh, ah jist did away. Ah wis only fifteen but ah wis able tae cook. Well, ma mother encouraged me really. Oh, ah kent something aboot cookin'.

Oh, ah jist washed up the tea dishes then and ah wis feenished at seven o'clock. Oh, it wis a far better job as Middle Toon.

Ah never ate ma food wi' Mr and Mrs Doughty. Oh, they ate in their dinin' room. Ah got ma dinner by masel' and ma tea.

Ah didnae feel lonely bein' away frae hame. Oh, ah wis often hame at night, ee ken. Ma fither wis jist a year at Wanton Wa's. Then he moved tae Widheids and ah went up tae Widheids. Ah hadnae far tae walk frae Lauder.

Ah wis paid £2 a week. That wis a big improvement. And, oh, ah had ma bed and board at Mrs Doughty's, tae. They didnae charge me for that. Oh, that wis a lot better as Middle Toon.

As ah say, ma mother encouraged me tae cook. Oh, she wis quite a good cook. At hame we had, oh, porridge every mornin' and a fry o' some kind, fried bacon or ham, we'd aye something. Porridge wi' the milk, jist the plain milk and porridge, nae sugar on it. We got the milk frae the ferms, frae the cows, ye see. Ah went doon for the milk in the mornin' afore ah went tae schule. Ma parents didnae pay for that milk, that wis part o' ma fither's wage.

Oh, ma fither he got so mony potatoes, so mony o' thame an' a' – a half ton, each year he got half a ton. He didnae get coal or firewid, oh, he had tae buy that hissel'.

And oo had pigs. Well, there were pig hooses. So ye had bacon or ham frae the ceilin' in the hoose. They yaised tae cure the hams, ye see. They hung frae the ceilin' in bags. Oh, oo had plenty ham.

When ah wis at the schule oo got oor denner at night. Oh, ye yaised tae get tattie soup, and kail, somethin' like that. Oh, oo got soup o' some kind. And, oh, well, there wis stew or roast beef or something, jist, ken, jist the ordinary meat. Well, oo got fish once a week when oo wis at Oxton. Tam Cockburn he yaised tae gaun tae Edinburgh for't. He wis in Oxton and he had a van and a shop. He had groceries. But he went tae Edinburgh every Seturday and brought a lot o' fish and things, fried fish. Oh, it wis a' selt, he jist selt it on the Seturday night. When he came hame it wis jist selt. Ah used tae gaun doon at nine o'clock for't. That wis when he came hame. And that's what oo had for oor supper on a Seturday night There were nae fridges, nor freezers, or nothing in thae days. He jist bought what he could sell that night, and that was it. Folk went tae him at nine o'clock when he came hame. It wis jist ordinary white fish.

Oh, there were a lot o' vegetables oo had. Of course, they had them in the gairden. Oh, ma fither he had plenty vegetables. He grew cabbage and peas and broccoli and turnips – no' sae much turnips, because ee could get them in the field. Oh, ye jist took yin if ye needed it. The fermer didnae mind that, he had nae objection tae ye . . . And then ye got your half ton o' tatties every wee while.

Then afore oo went tae bed oo had a cup o', oh, it wis cocoa and a biscuit. That wis oor supper.

Well, ah wis fower year wi' Mrs Doughty in Lauder. Then ah came tae the Muirhoose, the Muirhouse, at Stow. Ah worked in the fields then. Oh, ah dinnae ken why ah gave up the work at Mrs Doughty's. Ah jist wanted a change. Ma fither didnae encourage me tae think o' workin' ootside. It wis ma ain idea, jist ma ain idea. Ma fither wis there at the Muirhoose. Oh, he'd already moved tae Muirhouse. So ah think that wis how ah decided tae go oot and work in the fields, ah think so. Ah like-ed the fields.

Ah got hired at Muirhouse with ma father. He went tae the hirins at Earlston. Ah didnae gaun wi' him. But he came back and said, 'Ye're gaun tae work oot. Oo've baith got a job at Muirhoose.' That's jist what happened and ah jist had tae go. And that wis that! But it wis ma ain idea. Ah kind o' wanted tae dae't, but ah jist didnae want tae gaun intae it a' at yince! It was ma fither that got iz. So ah wis a bondager then. That's what women workin' oot were ca'ed in thae days. That wis aboot 1929.

Oh, ye had claes tae work oot in the fields. Ye had the skirts wi' the braid roond aboot them, braid on oor skirts, broad braid on oor skirt – black. The braid wis roond the middle – a bit up the skirt. Oh, the skirts were jist doon below your knees. And the big hats. The hats were made wi' straw. And oo had a red and black ribbon roond oor hats, jist roond the croon o' the hat. The ribbon wis aye red and black. Oh, they were big, big hats and they were a' lined in the straw, ee ken. Ah didnae make it masel', ah bought it. Ah bought it in Galae at the hat shop. There were onys amount o' thae hats then but there are nane now, there are no' sic a thing. It wis jist cloth in the inside but straw on the outside. It wis to keep the sun off your face. Oh, well, ee get awfy broon o' the sun in the summertime. Ah used tae be as broon as a berry! Even wi' the hat, oh, ah used tae get awfy broon.

And then ye had a big blue overall, dark blue. It wis jist an ordinary peenie, ee ken, made o' cotton, jist gingham or cotton jist. And then ee had warm underwear for the colder weather. We didnae have a coat, unless it wis rainin'. Oo had oor waterproofs, that wis a'. And then oo had oor Wellintons. And then oo had boots an' a'. Boots for dry days, Wellintons for wet yins. Oh, oo'd tae buy a' thae oorsels. The fermer didnae gie oo any claes. Oh, tae begin wi' it wis an expense for ma parents. They had tae buy ma bondager's claes, well, they had tae.

Well, at Muirhoose oo started at six o'clock in the mornin' – sometimes. It jist depended on what oo wis gaun tae be daein'. Oo started at six and oo feenished at half-past eleeven for oor denner. That wis tae rest the horses: they'd their feed tae get! Started again at one, finished at five – unless oo wis workin' overtime. When oo worked overtime oo might gaun on tae, oh, nine o'clock. That wis in the hervest time and the hey time, the hervest and the hey. That wis the main times.

Well, in the winter time of course it wis dark and oo wis lowsed a wee bit quicker, maybe aboot half-past four or somethin'. Oo couldnae work in the dark.

When ah first began as a bondager at Muirhoose ah think it wis £4 a week oo had. That wis a lot o' money in thae days for a girl o' ma age. It wis a lot more than ah'd got wi' Mrs Doughty in Lauder. It wisnae £4 a fortnight, it wis £4 a week. It wis jist what ee made bargain for. Ma fither had bargained for't or ah widnae ha' gotten't. Oh, there were some o' the bondagers no' gettin' that. But ah got £4 a week. Well, he wisnae too bad the fermer at Muirhoose, Mr Broon. Ah cannae mind his first name. So it wis £4 a week tae begin wi'. But it went up, oh, jist gradually, ye ken, efter. But mind, it wis harder work on the ferm than workin' in the hoose wi' Mrs Doughty. Oh, ye wis sent away wi' a pick and a spade, away tae a drain, when ye started. Oh, that wis hard work. That's what ye had tae day. Ye got a pick and a spade handed tae ye and – 'Get on wi't'! Ah wisnae accustomed tae it at a'. Ah'd nae idea what tae dae tae begin wi'.

Ma father wis first ploughman at Muirhoose. But ah didnae work beside him. Ah work-ed wi' Helen Dooglas, and she'd been on the ferm frae she wis fourteen. She wis a bondager. Ah work-ed wi' her. Oh, she wis a lot aulder than me. She'd be aboot twenty-six, ah think, or twenty-seeven. Oh, she wis older as me. She aye work-ed as a bondager, ee see. Her faither wis steward there at Muirhoose. She had aye worked as a bondager at Muirhoose. She left school and started there. Oh, she wisnae married when ah started tae work there.

Well, the kind o' work ah did at Muirhoose it depended on

the season. The like o' July, the middle o' July, oo wis helpin' tae dress corn wi' the Serecen.[39] The Serecen's pink stuff. They get it in big barrels. And ye had tae dress a' the corn. And oo had a barrel. And ye had tae gaun – the twae o' us, Helen Dooglas and me – and lift the ten stane bag o' corn on tae the top o' this barrel. Oo yaised tae have a stick, ee ken, and pit the stick in like that at the back and then cowp the bag ower like that. She had the yin end o' the stick, ah had the other. Oo had an end each and oo cowped the bag o' corn. Ee pit the stick underneath the bag and then lifted it up on tae a barrel. And then oo had tae take it oot in shovelfaes and pit it in a big hopper. It wis a big thing for mixin' the Serecen. Oh, that wis tae help tae keep the beasts off the corn, ken, keep the craws frae pickin't. It wis kind o' poisonous stuff really. Well, oo had tae weer things roond oor face, jit a white handkie. And it wis a' blue. The handkie wis a' blue spots wi' oor breathin'. Oh, ah never suffered any bad effects frae that. But ee had tae wear somethin' over oor nose and oor mooth. It wis jist a big handkie, ye had tae jist tie it roond the back. Oo never wore gloves. But ah never had dermatitis efter, ah never had nothin' like that. But oo never let it on to oor hands if oo could help it. But, oh, sometimes it did, ee ken. Oh, we jist used tae blaw it off wir hand. Oh, it wis jist pooder. Oh, it's no' very guid tae work wi', right enough. And if ee didnae weer a handkie ee'd be a' blue, ee'd be breathin' a' that in, ee see. Ah never really heard o' onybody havin' ill health efter workin' wi' that stuff. Helen Dooglas she aye had the handkie on an' a'. We baith kept the handkie on.

Well, when the singlin' time came we had tae single, ken, wi' the hows. Ah had din that – well, ah yaised tae help ma mother. Ma mother yaised tae be oot and take it by the piece, singlin' by the piece. And then, ee see, she singled so many dreels by the piece. And then they were measured wi' cheens. That wis how ee got paid, by cheens, ee ken. And ah've seen me goin' oot and singlin' jist at the end for ma mother. Oh, ah kent how tae dae't right enough. Oh, singlin' wis borin'. Oh, singlin' on a right hot day, oh! Ye wis jist aboot melted. Oh, ee had tae have your big hat on then tae keep the sun off your face. Oh, it wis hot. Oh, it wis an awfy seeckenin' job, singling. It wis tedisome. Ye ken, ye're jist gaun like this – in and out wi' the how – a ' the time. Ye're no' gettin' your heid up.

And, oh, ye jist had tae gaun ahint the other workers. Well, ma faither used tae be the first man, because he wis the first ploughman, and he went first. But it wis ma faither that jist set the pace, him. Oh, they didnae gaun too hard, because, ah mean, they jist had tae keep a certain pace, right enough. But it jist depended on how often ye got a guid dreel, how often ye got a bad yin. Well, a guid yin wis yin ye could get the turnips singled handy, and another yin wis bunched. If they were bunched ye couldnae get them separated and they were wee. Ye had tae fiddle aboot wi' them and the how tae get them separated. Oh, it took more time. It jist depended.

When oo wis singlin' oo wis a' in jist a raw, jist yin behind the other. Oh, it took a while tae work the turnips at Muirhoose. Ee see, oo'd the whole field o' turnips tae single. They'd twae fields o' turnips. They had yellaes and suedes. Oh, they were big fields. Oh, ah dinnae ken how mony acres. There'd be aboot twelve, thirteen acre in the wee field. That's the Weecroft. And the Howcroft had aboot fourteen or fifteen acre. So it wis aboot thirty acre o' turnips a'thegither oo had tae single. Oh, it ta'en a while. Well, it depended. Oo got overtime and oo used tae gaun oot at night and single them oorsel', ee ken, and get in. And then they were measured wi' a cheen. Oh, it wis measured wi' a metal cheen. Well, ma faither yaised tae dae the measurin', and the boss, Wullie Broon, the fermer, ee ken.

So ah did the singlin', and the mixin' o' the Serecen wi' the corn, and then the hey when the hey started. Oo used tae have tae make the kyles, ee ken, and then efter it wis a' kyled oo used tae have tae get it intae rucks. And they yaised the tumblin' tam. That wis a big long thing and it turned the hay right over. The horse did it, a horse pu'ed it. The tumblin' tam it's wood, it's a big long wood thing. And then ee yoked it tae the horse, and then there were cheens and they went roond aboot the hey, and they went roond aboot the ruck.

And then ee got the horse away and then it took the ruck wi' it. But, mind, it wis a' row'ed up. Ye'd an awfy job pu'in' it tae separate, it wis a' row'ed up, oh, it wis a' row'ed up. Oh, ah liked the hay makin'. Oh, ah liked workin' on the ferm.

The hay came first, then the singlin'. Well, they cut the hay and it wis lyin'. And then efter it had deid off we were sent wi' forks tae turn't, tae turn it ower. That wis a' hand work. There are nane o' that now, ee see. It's a' din wi' the tractor work now. The bondagers oo'd that tae dae. Oo'd tae gaun along each raw, turnin't wi' the fork.

Yince the hey wis din oo got on tae the singlin'. Well, the hervest came on next, and the tatties – the tattie diggin'. Oh, well, in the hervest, ah fork-ed a lot o' the sheaves. Ee ken, ee had them a' tae stook efter the binder had cut them. The other bondager Helen Dooglas and me oo went roond daein' the stookin'. And the odd laddie, when he didnae need his horse he used tae gaun stookin' wi' us, ee ken. Oh, ah quite liked stookin' – no' on a wet day, mind! Oh, your hands got wet, and ye got soakin'. Oh, God! Ah didnae like it then.

But ah like-ed the hervest, ah like-ed workin' on the hervest. Oh, there wis a good spirit among the workers in the hervest. Oh, ah like-ed the hervest. That wis the big thing on the ferm in the year, the hey and the hervest and the leadin' in. And then oo got it in stacks, ee ken. Ee had tae get it loaded intae the field and stack it. Ah didnae lead in masel' when ah first began as a bondager. Well, oo didnae have the horse tae lead, ee see, oo didnae have the cairts. Helen Dooglas didnae have a horse either. Ah fork-ed. Ah whiles fork-ed and ah whiles loaded the trailers. Oo either fork-ed or oo'd load the cairt. Oo didnae have the horse.

Ah remember ah wis off for aboot six weeks when ah first began in the hervest time. Ma side wis a' rack-ed. Ah think it wid be awkward forkin' when ah didnae ken the wey. Oh, ah jist didnae ken how tae dae it. Ah racked a' the muscles in ma side. And, oh, God, ah wis off six weeks.

Well, the hervest wis a' ta'en in and stack-ed. And then efter that it wis ready for maybe puttin' through the threshin' mill. At Muirhoose the fermer had his ain threshin' mill. But he got in the traivellin' mill an' a'. But if he needed corn in, ee ken, for the horse an' that, we used tae lead it in, ee ken, wi' the cairt and pit it in the loft. Oh, oo used tae cairry a ten-stane bag o' corn intae the loft.

Ah like-ed tae work among the straw and everythin'. And then oo never came in for oor denner when oo wis leadin' in. Ma mother yaised tae have tae bring oor denner oot. Oh, she jist brought the thermos flask o' tea, ee ken, and sandwiches. Ferm workers in thae days usually had tin bottles wi' their tea but, oh, ah had a thermos. But ma mother brocht oor tea oot to oo. And then when oo went hame oo got oor denner at night. Oh, that wis quite late in the hervest. Oo work-ed tae aboot nine o'clock – as long as oo could, till as long as it wis light. Oh, it wis a long hard day. And then ee'd tae be up again ready tae start the next mornin' again at half-past six. But ah didnae really feel exhausted. Ah quite liked it. Oh, it wis healthy, oo wis in the fresh air. And, oh, ah always wore ma big hat tae keep the sun off me, ah kept aye the hat on, right enough.

Bondagers work-ed in thae days on some o' the other ferms roond aboot Stow when ah work-ed at Muirhoose. Oh, there were a lot o' women workin' on the ferms. Stageha' had one and Ferniehirst had two. Watherston had nane and Bank-hoose hadnae nane. Torquhan had two. Ha'tree had one. Craigend had two. Meg Hermiston worked on Craigend. She work-ed tae she wis over eighty on the ferms. She wis ower eighty when she died. Ah think it would be aboot 1936 or something when she died. She wis gettin' on for over eighty. And she wis still workin' in the fields full-time. She aye worked at Craigend. She'd aye been there, in the Stow district. Meg got merried, Knox was her merried name. She wis merried on Jock Knox. But she wis jist known round Stow as Meg Hermiston, oh, even years efter she had merried Jock Knox. It wis aboot 1936, ah think, she died. Oh, ah can mind o' Meg fine, nae bother. Oh, she wis a character. Oh, she wis strong, right enough, oh, she wis workin', aye, she work-ed.

Oh, ah think women were allowed tae join the union, the

Scottish Farm Servants' Union. Oh, some o' the weemen wis in the union, right enough. But ah never joined it. Ah dinnae ken why that wis, ah jist never seemed tae get roond tae join it. There were naebody ever approached iz. They never asked iz. Ah think it wis mair men that wis in it really. But ah never joined. Ah think Meg Hermiston wis in the union, but ah'm no' sure. Helen Dooglas, oh, she wisnae in it. Ma faither wis always in the union – at the Booerhoose, Threeburnford, Ha'tree, Middle Toon, he wis always in that. He collected the money frae the ferm workers. He didnae really speak much aboot his work in the union. And then when he, ken, didnae feel sae weel, ma brother Jim took ower. Jim wis seeventeen when he started workin' for the union.

And then in thae days, well, on Seturday night we used tae gaun tae dances. Dances were held at Galae, or maybe whiles in the hall in Stow and that. We went tae Cloven – Clovenfords – jist wherever oo could get a dance. Oh, ah like-ed dancin'. It wis jist auld time dancin' – country dancin'. There wis nane o' this joukin' aboot they're daein' now – jiggin'! It wis right reels and schottisches in thae days and, oh, waltzes. Ah didnae have a favourite dance, but ah like-ed it wi' the handkies, daein' it wi' the twae handkies – the threesome reel. Oh, ah like-ed the dancin'.

Well, that wis mair or less jist how we met young fellaes, right enough. It wisnae always easy on the wee ferms roond aboot Stow tae meet young fellaes. Oh, if ye were on a ferm maybe wi' jist two aulder plooghmen it wis oot the question. Well, ah met ma husband Wullie Hope afore ah went oot tae work as a bondager. Oh, he wis a plooghman. He wis at Lauder Barns ferm at Lauder. The first time ah met him it wis at a dance at Lauder.

Oh, oo jist went tae the dances. Ah never went tae the dances in Galae. There were aye plenty in Stow and Fountainha' and that. Oo used tae cycle. Oh, it wis ma mother's bike ah got, ah never had a bike o' ma ain. Oh, and ah used tae take runs on a Sunday. On a Sunday, ye ken, ah've seen us gaun away a run. Well, when ah wis at the Muirhouse ah used tae take runs away up ower the hill there, ee ken, the Lauder hill, intae Lauder. That wis how ah could meet wi' ma young man, Wullie Hope. It wis six mile tae Lauder. Well, the road wis worst or ee got frae the bottom up tae the top. And then ee wis a' right efter, ken. Then it run doon intae Lauder. But it wisnae sae bad comin' back frae Lauder. The yin at Stow wis the worst hill. It's a steep hill there. Ah jist walked up the hill and got on the bike when ah could.

Oh, well, the bike gave ee freedom tae get aboot. Well, there werenae the buses in thae days either, ee see. There wis nae buses or onything. Oo jist used tae hire cars if oo went tae onything. Well, ee'd the railway station at Stow, of course. Ah still went ma annual holiday wi' ma mother and fither tae Hilltoon tae ma Uncle Dave but ah never wis in Edinburgh very much. Ah never like-ed the city, ah didnae fancy it. But ah've seen oo gaun in on a Seturday night tae Portybelly wi' the Jewish train. It wis ca'ed the Jewish train. 'Twis a shillin' tae gaun intae Portybelly frae Stow. A shillin' in and a shillin' back oot again! That wis oor return ticket. Oo went yince a month maybe, jist yince a month, ta'en a bit turn intae Portybelly.

Well, efter aboot six year ma fither moved frae the Muirhouse tae Craigend. When he left Muirhouse he went tae Earlston hiring fair. But he jist hired hissel', no' me. When ma fither gave up his job at Muirhouse ah lost mine there. Ah wisnae hired tae Craigend. They had twae bondagers there then and there were no vacancies. So ah had tae move. Oh, there wis a mill at Stow, a tweed mill. It wis a fair size. It's still standin'. Oh, ah kent twae or three that work-ed in the mill but ah never fancied a job there masel', never. Ah had nae notion o' the mill. Ah didnae fancy inside jobs like that. So ah worked wi' the Royal Hotel in Stow efter ah left Muirhoose – oh, jist change o' jobs!

Ah went tae the hotel. Oh, ah wis the cook there for twae year. Ah jist did the cookin'. And then on the days off, when the tablemaid wis off, ah had tae dae the tables and the mistress did the cookin'. Ah had £12 – £12 a week, aye £12 a week, no' a fortnight or a month, a week. Oh, that wis a big wage. Oh, ah felt wealthy, oh, gosh, ah didnae half! Oh, it wis super. And ah got tips. Ah've seen iz whiles makin' aboot £30 a week on tips alone. Oh, ah felt like a millionairess! Oh, yince ah went tae the hotel ah got mair money.

Ah bade in the hotel, ah stopped there. Ah slept in the hotel, ah lived in, ee see. Ah like-ed workin' in the hotel. Well, ah dinnae ken if ah preferred it tae workin' in the fields. Ah liked the fields an' a'. But, oh, ah like-ed workin' in the hotel, tae.

The Royal Hotel had seeven rooms. There were quite nice folk that used tae come – holiday folk, holiday makers and, oh, commercial travellers. Well, the holiday-makers they used tae come in the wintertime tae for a week-end, or passin' by maybe. They came, ye ken, for a bed and breakfast, or somethin'. Oh, there were a lot o' regulars. Well, the bankers bade in the hotel, twae bankers. They worked in Stow, ee see, and then they bade at the hotel. They had rooms there. And then there were a schule teacher, and she wis in the hotel. She came tae the hotel tae bide. Jist onybody like that, ee ken. And, oh, a lot o' fishers came and stayed there, tae. They were fishin' on the Gala Water. Oh, it wis quite a popular hotel for anglers. Oh, they came regular.

Well, if there were fishers came in, ah yaised tae have tae get up at three o'clock in the mornin' tae gie them somethin' tae eat afore they went away tae fish. So ah wis up at three o'clock, makin' them tea. Ah feenished work, oh, aboot eleeven and twelve o'clock at night. Oh, it wis a long day! Ah worked seven days a week. Well, ah had the Wednesday off, and every other Sunday and every other Seturday. So it wis really aboot five and a half days a week ah wis workin', but long hoors. And then, ee see, oo had the bar tae clean oot efter they were a' feenished. Well, the bar wis closed at ten and oo'd tae start washin' everything oot efter that, and 'twis whiles half past twelve when oo feenished. And then, well, ah wis up again at three o'clock in the mornin' if the fishers wis there. Oh, that lasted maybe aboot six weeks or somethin'. They came mair in the spring. But, oh, it wis an awfy . . . Ken, gettin' up at three o'clock in the mornin'. Well, it wis aye aboot twelve or oo got tae bed. Oh, oo were gey tired, oo were ready for oor bed.

So ah wis cook at the Royal Hotel for twae year. Ah jist left the hotel tae get merried. That wis 1936, ah wis twenty-six when ah got merried. Efter ma fither went tae work at Craigend, Wullie Hope, ma husband, he came the followin' year tae work at Craigend. Wullie wis a plooghman there, ma fither wis the first plooghman.

When ah wis workin' in the hotel ah wis earnin' far mair as Wullie, oh, heavens, aye. He wis gettin' a plooghman's wage at Craigend. Ah think he had either £3 or £3.4.0. a week. And ma faither had mair because he wis the foreman, he wis the steward. He had a pound mair. But, oh, ah wis gettin' mair at the hotel than Wullie or ma faither. Oh, ah didnae have tae give up the job in the hotel when ah got merried. Ah could ha' carried on at the hotel when ah got merried but ah gave it up because, well, ah had tae get the hoose at Craigend din' an' a', ye ken. But the wages ah got in the hotel that helped a lot when oo wis merried, it didnae half!

Ah had a guid hoose at Craigend efter ah wis merried. They got the hooses a' reconditioned in '36, when oo wis merried. They got them did then. But they didnae get rooms up the stair then, it wis jist a bedroom down the stair. That wis a' oo had. And the kitchen. But the hoose had hot and cold runnin' water an' a flush toilet and they put in the electric. And we had a washhoose when oo came tae Craigend. And then they got the hooses reconditioned again in 1956. That wis when ma mother died, in '56, when the hooses wis gettin' reconditioned. And oo got stairs in then and a room up the stair. They took the roof off and the bathroom wis up the stair and oo had the bath. Oo didnae have the bath in until twenty years efter oo wis merried. The cookin' at Craigend when oo went there wis an open grate. Oh, ah got an electric cooker when ah got merried, so maist o' the cookin' wis on the electric cooker.

Well, oo wis forty year at Craigend. Ah carried on workin' part-time in the fields for forty years efter ah got merried. Ah didnae have any family. Oh, ah dinnae ken if ah'd ha' carried on workin' in the fields if ah'd had a family. But ah cairried on workin' tae ah came doon tae live in Stow in 1975.

Edith Hope

Ah used tae work at Mitchelston and Big Cathpair ferms. Efter ah wis merried ah went up tae work at Mitchelston and Big Cathpair and Little Cathpair. Mitchelston wis aboot three mile frae Stow. Ah jist work-ed, ee ken, part-time. The fermer at Mitchelston, Danny Logan, he jist used tae come at night and say, 'Can ee come the morn?' Oh, ah didnae mind the short notice. Oh, ah wis aye oot. So they were the three separate ferms ah worked at. Oh, ah wis workin' at yin or the other. Oh, well, ah wis mair at Mitchelston a lot.

But when the traivellin' mill came in Jock Miles he yaised tae come for iz. Jock wisnae a fermer, he wis on the mill. He went wi' the traivellin' mill. Oh, ah kenned Jock, he wis a Stow man. So ah worked wi' the traivellin' mill at Mitchelston and Big Cathpair and Little Cathpair. There were twae fermers: Stewart wis in Big Cathpair, and there wis butchers that came – ah cannae mind their name – to Little Cathpair. And then ah yaised tae work whiles at Watherston. We used tae gaun wi' the mills, ken, the traivellin' mills. Well, Jock Miles used tae take us. Ken, if he went ony place and they needed somebody tae lowse – that's on top o' the mill, cuttin' the string and handin' them tae him on the mill – that's what ah did. Ah did the lowsin'.

Oh, oo got aboot twae pound a day for that, for lowsin'. Oh, that wis good money. Ye worked frae eight o'clock tae five. Oo had an hoor off for oor dinner. And then oo got a cup o' tea in the efternin.

Ma husband wis workin' only at Craigend. And ma fither wis workin' at Craigend. And then ma brother Jim started at Craigend in '36. Jim lived wi' ma mother and faither, he stopped wi' them till he got merried. So there were jist ma husband Wullie and me tae look efter and cook for. Oh, ah didnae feel it wis ower much for me daein' that and workin' in the fields, tae. Oh, ah had a busy time at the hervest but ma husband understood that. Oh, we got on fine.

And then, oh, ah yaised tae drive a tractor up at Mitchelston. Oor yins didnae ken. But ah wisnae on the road, ee see, ah wis in the field. Oh, ah didnae need a licence for drivin' in the field. Ah wid ha' needed it if ah'd been on the road, but ah wis jist drivin' in atween stookin', ee ken, in the leadin'-in time. Oh, ah like-ed tae drive a tractor.

Well, ah did that, workin' in the fields, right tae 1975, till ah come doon tae live in Stow. This was when ah got a council house in Stow. Oh, they're nice hooses. Ma husband died at Craigend in the October. He wisnae long retired, jist put in a year. Ah come doon tae live in Stow masel'. Well, ah had tae gaun oot frae Craigend, ee see.

Well, ah worked as a bondager six year at Muirhoose before ah went tae work in the hotel, and ah jist left the hotel tae get merried. And then when ah got merried in 1936 ah went back to ferm work again and ah cairried on workin' in the fields tae ah wis 65. Oh, it wis jist off and on, ee ken. It wisnae constant efter ah wis mairried.

Ah like-ed workin' on the ferm. Ah like-ed the hervest, leadin' in. That wis ma favourite job, the hervest work. Oh, ah preferred workin' oot tae workin' in the hotel or in service.

Oh, there are changes, right enough, on the ferms. Well, ee see, there are naebody at Mitchelston or Big Cathpair or Little Cathpair now, there are naebody at ony o' them now. There naebody workin' on them. Well, oo hadnae tractors and oo hadnae thae hydraulic lifts. Oo'd tae dae the liftin' oorsel'. Onything that wis tae lift wis tae lift oorsel': bales and a' thing, we had a' the bales and a' thing tae lift efter ah started balin'. But they didnae start balin' till, oh, it wis away aboot '56, when they started this balin' business efter the mill, ee ken, ahint the mills and that. Oh, well, it's a' mechanical now. It's a' tractors.

Well, ah started work seventy year ago as a bondager. Ah work-ed on the ferms aboot forty-six year a'thegither. Well, there are no' the hard work now that oo got tae dae. Ken, oo yaised tae be sent away wi' a pick and a shovel and get on and dig drains, stane drains, and pit in tiles, and a' thing. And that's a din' wi'. That's feenished. Oh, well, ah quite like-ed tae get a bit dig oot! Oh, ah like-ed tae gaun away and dig up the drains.

Nellie Traill

Ah wisnae long there at Ravensneuk – ah wis eleven – when Mrs Graham, the farmer's wife, says tae me, she says, 'Come on,' she says, 'and ah'll learn ee tae milk the coos.' So she gied me a wee stool – and, mind ye, ah didnae need a long legged yin – and a luggie. And she sat me doon at a coo that wis goin' kind o' dry. And ah hadnae done it for very long and she says tae me, 'Oh,' she says, 'ye'll sin be milkin' along wi' the rest.' And ah had tae step in sometimes and go tae the milkin' in the mornin' afore ah went tae school in Penicuik. But, mind ye, it wis great. Oh, ah wis up afore half past five. And then ah wis away ower and then we got the milkin' din. And then ah wis back ower hame tae get ready for the school.

And then Mrs Graham says tae me, 'Do you think, Nellie, you could sell my eggs in Penicuik?' And when ah wis goin' tae the schule in the mornin' ah yaised tae have a great big basket o' eggs, wi' aboot twelve dozen in them. And ah wid leave them in some o' the shops, ask them if they'd keep them tae dinnertime. And then ah wid eat ma piece goin' along the road at dinnertime, sort o' style. And ah went and selt the eggs at the different places through Penicuik. Penicuik wisnae the size it is noo, of course. And ah used tae sell Mrs Graham's eggs. The eggs were 9d. and a shillin' a dizen then. Every day ah had a basket o' eggs, a dozen dozen. There were some days ah didnae have so many – the districts ah wis at, ye see, and when they didnae take sae long wi' the different streets ah had tae go tae. Then ah did the milkin' again when ah got back hame at night. On a Seturday ah used tae gaun and scrub Mrs Graham's flairs. That wis a guid hoor, for they were stane flairs.

Mrs Graham paid me 2s.6d. a week for daein' the eggs. For

the milkin' and scrubbin' the stane flairs ah wis lucky if ah got ten shillins, ken, for a month – 2s.6d. a week. She didnae gie me very much money but she would say, 'Come on, ah'll get ye a frock.' And she used tae get me a frock or a coat. Oh, she sometimes made them and she made a braw job o' makin' frocks. Oh, it wis no' an awfy lot, as ah tell ye. Ah worked aboot 29 hoors a week. Ah wis still at the schule. You were a slavey, you were slavies then.

Well, ah'm known as Nellie, no' Helen. Ah wis born the 4th o' November in 1916. Ah wis born at Prett's Mill, on the side o' the Clyde, near Lanark, the parish o' Carmichael. Prett's Mill widnae be that very far frae Lanark, because when you go over the Clyde bridge ye can see it up the Clyde side. It wid be three, four miles onywey. It wid be a guid wee walk maybe.

Ma father wis what's on ma birth certificate: a carter. He worked on the cairts and they used tae travel on the meal cairts, you know, when they did the grain and that. And they used tae take the grain tae the mills and that. And, ah mean, it took them quite a bit o' time. And that's what he did do, he wis a carter. That wis all he did.

Prett's Mill wis a ferm. And awfy, awfy funny, ma ain name is Prettswell, jist something like the same as the mill. Ma faither wis the cairter on there then. Ma faither wis born in 1888 and ma mother wis born in 1891.

Ma mother was in the carpet factory, Eskbank or Bonnyrigg, because ah aye yist tae hear her talkin'. She belonged tae Gorebridge – Arniston, ma mother did, she came frae there. She used tae talk a lot aboot Eskbank anyway. She used tae talk a lot aboot it. But she hadnae worked there that awfy long tae she went intae service, domestic service. And she wis in service on the ferms, in the hooses. And that's where ma faither met her, ye see. It wid be Lanarkshire – it wis Spittal. And they were merried in Peebles. And they lived in Peebles, because ma sister – the sister older than me – she wis born in Peebles.

But ma mother she wis born oot o' wedlock, ma mother. Her father had gone oot abroad. And he wis comin' back tae take her oot there when he wis shot in the Salt Lake City in the Civil War. It wis at the time o' the American Civil War, and he had went oot there and he wis shot in the Salt Lake City in America. She said that anywey, that's what ma mother aye said. She said her faither wis shot in the Salt Lake City at the Civil War.[40] Of course, ah never peyed ony attention tae that because ah never went that far back. But that's what she said. She maybe jist got that. She wis jist wee when he wis shot. She widnae mind o' him. But he wis comin' oot back onywey tae take her back oot there. Ross wis his name. But he wisnae in the mines or that, he wisnae a miner. Ma mother maybe didnae ken hersel' what her faither had worked at. Ma mother's step-faither wis a miner but he wisnae.

Ah dinnae ken aboot ma mother's mother, no' very much. Ah jist ken she wis an old besom! Ah cannae jist recollect her at a'. Ah, well, we moved away and ma mother jist never got in contact wi' her. Because ma granny she had remarried and a' she had efter that wis half brothers and sisters tae ma mother. And ma mother didnae bother aboot them. She jist went away and everything. Oh, they yaised tae try tae get her but ma mother didnae take it on. Oh, ma mother had quite a hard life as a young girl and young woman. She yaised tae tell us aboot it, ye ken.

Then ma granny and ma grandfaither Prettswell they're buried in Yarrow churchyard. Ma grandfaither he wis the same as ma faither, a ferm worker. He wis a ferm worker. Oh, he moved aroond. And ah couldnae really tell ee where ma grandfaither did a' his workin' days at a'. It wis mair doon there in the Borders, they were mair for the Borders. How they happened tae be there: their daughter wis merried on the fellae, and she died. And they were left wi' a young girl. So ma grandfither and ma granny Prettswell went to look efter the wee lassie and her dad. And they lived at Wheethope – Whitehope, jist below the Yarrow Church, jist below the Feus. Oh, ah wis jist seventeen, eighteen year auld and ah used tae go frae Ravensneuk tae Yarrow and spent ma holidays there. Ma grandfaither didnae work there, it wis for family reasons he wis there. But afore he went tae Yarrow he'd always been a farm worker. But ah couldnae tell ye about ma granny Prettswell's work afore she got merried. Ah didnae ever know that. Oh, she wis a countrywumman, because they always had a coo. They had a cow because she used tae milk the cow. Ah wis jist quite young when ma granny died. She died before ma grandfaither. And ma grandfaither used tae come and stay wi' us at Ravensneuk he did.

Ah had two sisters forbye masel' and ah had three brothers. There wis six o' us. Ah'm the second oldest. Ma oldest sister wis Emily, well, we cried her Amy. And ma other sister wis Bella. Then came Willie. He wis the oldest son, he's dead. And then George, he died at twenty-one. And ah had another brother, David. He died at two and a half, that wee laddie died on ma knee. Emily, the oldest, wis fourteen years aulder than David. Emily had left hame tae start work afore David wis born. She wis on the land like me. She went tae a place at Elsrickle. That wis her first job as soon as she left the schule when she wis fourteen. And she went tae work there and lived on the farm away frae hame. When she wis at Elsrickle David wis born. She didnae work on the ferm very long. And then she left that work and then we came tae Ravensneuk ferm at Penicuik efter that, and she went tae work in Edinburgh, roond aboot there, in domestic service. And then she moved frae Edinburgh and she went back on tae the ferms at Clovenfords. And that's where she met her man. And she got married frae there and she wis there for years and years. And then they were at a place at Biggar and they werenae awfy long there when they moved tae Eddleston. He wis goin' cyclin' oot o' Peebles and he took a sort o' coughin' fit and he fell off his bike and hit his heid on the pavement. And that wis it – finished. He died quite young.

The first hoose ah remember wis Wandel. Well, ah'd be four when ma mother and faither moved frae Prett's Mill tae Wandel. Ah can jist aboot remember them movin', jist and nae mair. Ah dinnae mind the hoose at Prett's Mill. But ah can mind o' the yin at Wandel. Wandel wis a farm. There were three hooses. There wis us and there were the cattleman and the other hoose roond the corner they had let it tae somebody else, because that man worked on the railway. He wis in the pints box at the railway but he had the use o' the hoose. Oh, Wandel wis quite a small ferm. There wis jist ma faither and a cattleman worked there. And there were a shepherd of course, but he wis away up the hill. He didnae live on the ferm.

Oor hoose had a room and a kitchen. They had yon old box beds, ye ken, on the wa'. They were fixed on tae the wa'. Oh, they stood aboot three feet off the flair. And they were widden. They were built in, quite high. And they had the board things along and you put boards on them, ee ken. And then ye had yon auld fashioned straw mattresses. And ye had two o' thame on each bed. Ma mother and faither, they had the yin bed. And there were the fower o' us – Amy and me and Bella and Willie – in the other yin, twae at the tap and twae at the bottom. But that wis tae ma auldest sister Amy and me got a bit older and then we moved intae a room. We got an auld iron bed. George wis born by then. And that wis two boys and ma younger sister Bella. And then, of course, ma aulder sister Amy as we got up efter that she went off tae work from Wandel tae live in on the ferm at Elsrickle. And then ma younger sister and me were in the room, and the three boys wis in the rest.

Ma mother jist cooked on the fire, an open fire. It wisnae a range, it wis jist an open fire, and an oven. Ye had a wee water biler at the side o' the fire and an oven at the other side. And ee could lift the lid tae fill it wi' water. She didnae have a paraffin cooker, a' the cookin' wis done on the fire. And thir fireplaces, by jingo – the steels: they were shinin' like a shillin'. And ma faither, every time he got a horse shoe – she had as many as nine horse shoes along the fireplace. And they were a' shinin'. Oh, they were polished, tae, aye, were they no' jist? Ye ken what ye cleaned them wi'? A wee pickle water and ashes. Ah, well, the Brasso didnae make such a guid job. We used tae clean it wi' the ashes and that. Ah hae tae clean a' thir steels on a Seturday mornin'. Afore ye even thocht aboot gaun oot tae play or dae onything like that you'd tae clean a' that. That wis ma job. And they had a slider thing in the front o' the fire. And yon auld fashioned fenders – we had a' them tae clean. But, hooever, ma mother had gotten a box cover and put it on and that saved it an awfy lot. But it wis a guid sate, mind ye. On a whirly nicht ye got yersel' sat doon! Oh, ye'd get warm beside the fire. We wis learned tae blackleid the grate and we had tae dae it an' a' very good. It could shine. It wis braw. Mind ye, ye prided yoursel' on thae kind o' things because if your grate wis shinin' . . . It wis, and it wis braw. But ye cannae get such a thing noo as blackleid.

The lightin' wis paraffin lamps, sometimes a caunle!

The water we'd tae cairry it frae a wee spring in the bankin' in the field. It wis a pipe that came oot the side o' the hill. They must ha' fund where there were a water flow and it wis jist like a rone pipe that's on the hoose there, jist a spout. And on the washin' days ma mother had a big auld fashioned biler, a great big yin. And we'd tae cairry the water frae the burn and fill the boiler. Oh, well, we'd hae aboot an eighth o' a mile maybe frae the burn, we'd hae that onywey. Oh, we had a wee bit tae cairry it. It wisnae near the hoose. Well, we jist went any time. If we needed water, if we were usin' mair water we used tae bring it up at night times when we came oot the school. Or ma mother, if she needed ony, she went doon. But we never took the water oot the burn for tae drink or that. Sometimes it wis in spate, mind ye, but we had this tap and, oh, it wis awfy guid water, guid cold clear water. But ma mother had her two pails and ma younger sister Bella and I used tae cairry the pail between us, 'cause she wis as big as me, Bella. So we baith went and we filled up wir pails and held it under there, and then we went back and got the other yin.

Oh, ye needed water for drinkin', cookin', washin' dishes and the flair, and washin' oorsels – everything. Well, ye see, we filled this big boiler that we had at the back on washin' day. But other days we filled it an' a', because ma mother wis needin' it for washin' vegetables and a' thing like that. We used the big boiler like a sort o' reservoir. But if the water wis for the washin' we used tae jist take it oot the burn, because it wis rare soft water. She sometimes wid have a washin' this day and then maybe half wey through the week she'd some mair tae dae, because there wis a lot o' us and we had tae dae a lot o' washins. Ye didnae have many spare claes. Ye were lucky if ye had twae chinges and that wis it. Ma mother had tae keep washin' a' the time. There were a washin' oot every day near enough. And when there were a new bairn on the go and nappies, ye'll ken what that wis. It wis a lot o' work. And we wis learned tae dae the washin' an' a'. We had tae dae it, tae.

There wis a dry toilet, a wee hut on the ootside. Well, the hoose wis there and, oh, oo'd maybe forty or fifty feet tae go, no' very far. And your toilet wis at the top end o' the gairden, nearer the hoose. We hadnae a back door. Oo came oot the door, across the thingmy, and jist along the side o' the gairden tae the toilet. Oh, it wisnae comfortable on a winter's night! Ye didnae share the toilet wi' other families. Ye a' had yin each, ye a' had yin each, and ye'd a' tae look efter your ain yin. But, mind ye, it wis scrubbed clean. We didnae dae nothing wi' the wa's very much, right enough. But a' roond aboot the toilet and the pail and such like . . . Oh, ye'd often tae get a new pail because they rotted like nothing on earth. But, oh, they were scrubbed. They were nice and clean. It wis aye ma mother that did that. And ye disinfected it. And ma mother she used tae gaun and dig a hole away doon at the bottom o' the gairden. Ma mother did that maistly, sometimes ma faither, because in the wintertime it wis dark when he came hame at night.

Oh, ma faither had long hoors as a cairter, ah mean, it wis frae daurk tae daurk, right enough. Aye, it wis dark when he went oot and it wis dark when he come back, because he looked efter the horses, ye see. Oh, ah couldnae tell ye, ah couldnae tell ye what distances he went tae. Sometimes he did speak aboot his work as a cairter. He used tae say, 'When ah wis on the cairts at Prett's Mill', or 'When ah wis on the cairts at Skirlin'.' Oh, if it wis Skirlin' he wis at it wid be tae Biggar he went. And, mind ye, that's quite a distance.

And oo used tae have tae gaun tae the wids, if there were a

tree fallen or something like that, for firewid. Ye didnae get coal. You'd tae buy your own. What ye did get wis oatmeal. Ye got meal. Ye could get meal or flooer and ah think ye got it every quarter. Ye got half a bag – twae stane. That wis part o' ma faither's wages. And another thing ye got, at tattie time ye got tatties. So we got a ton o' tatties every year.

And ye got keepin' hens and ye got keepin' a pig. Ma mother and faither kept hens. Oh, at Wandel ma mother had a guid twae or three dozen hens. Because doon at the end o' wir place they had an auld byre. It wis an auld byre shed, jist at the bottom o' thir hooses. And we had that for tae keep the hens in. Oh, it wis a great place for the hens. Well, sometimes ma mother selt eggs if she had too many.

Efter the hens got tae two year auld the hens are din and they used tae jist kill them. Well, ma mother made soup wi' the chicken and you got the meat tae eat, which made a big difference, mind. And, ah mean, ye always had a certain amount o' thame. When they came two year old a hen's nae guid for layin' eggs.

And ma mother and faither kept a pig, a rare pig. Well, it wis somebody came in and killed the pig. They got somebody tae come in and kill it. But they scraped it a', scraped it and plotted it a'. They scraped the hair off them. Once they got the pig killed, well, ma mother used tae cure it. And she had saltpetre and Jamaica pepper and rubbed it in tae the flesh. Oh, it wis guid! Ye had a ham hingin' frae the ceilin'. It wis guid. Oh, there wis quite a lot hingin' frae the ceilin'. Ah mean, that kept ye gaun for a guid lump o' the year. But, mind, ye got a bit fed up eatin' pork a' the time. But of course some o' it wis put intae ham, and ee could keep that for long enough. And the insides, the puddins: they used tae hunger the pig for aboot twae days and they were empty. And ye had yairds and yairds and yairds o' puddins. Ye were blawin' them up. And ma mother had in the pot, a great big pot, mealy puddins. Oh, and they were guid! Nothin' wis wasted. The blood frae the pig they jist let it go tae where they could get it washed away, ye ken.

We didnae watch the killin' o' the pig. Ma faither widnae

let us watch the killin' o' the pig. But, oh, we did the rest o' it, scrapin' and what not. Oh, the only time ah saw a pig gettin' killed wis years later on at Carsewell. Well, ah wis a guid age then, and they made me lead the pig roond and roond this shed here tae it drapped. They had cut the throat, ye see, cut the wee vein. And had tae keep the pig runnin' tae it lay doon. And then intae a big thing we had tae put it in. We had tae steam up the boiler wi' bilin' hot water tae scrape it.

At Wandel, well, oo had plenty porridge. Oh, at breakfast we had aye porridge and toast every mornin'. Occasionally ye got an egg. But we had always eggs, ye ken. It wis a guid stand-by. We always had wir tea, always had wir tea in the mornin'. We got what we wanted tae drink but we aye liked wir tea. And then oo went off tae the school. And then we had tae cairry wir midday lunch wi' us. There were nae school dinners in thae days. But they boiled the kettle and we got cocoa at midday. But that wis a' we got. We didnae get soup at the school in the winter. Ah don't think there wis ever onybody ever thoaught aboot it then, 'cause there were never nae lunches and there wid be naebody tae make it anywey. And, well, we had a playtime in the middle o' the day but we'd always somethin wi' us. What we had wis oor sand-wiches and that, and we got cocoa. And then, well, we hadnae an off time till we come oot the school.

Well, we got wir dinner when we came home. Well, sometimes, well, ye werenae too bad, for meat wis a lot cheaper then and ye got mince and sausages – a' the kind o' usual things. We got plenty soup and we had always plenty sweet – milk puddings, suet puddings, some o' them we did, if ma mother had time tae make it that day. But usually it wis milk puddings, because we got wir milk. That wis your wages an' a'. Ye got so much milk every day free. If ye wanted more ye had tae pay for it. But they hadnae a big dairy at Wandel. They had enough cows for tae keep theirsels. They didnae sell milk ootside the ferm. There werenae many hooses roond aboot it then.

Oh, we never went withoot. Ma mother always saw tae that. And ma faither had a guid gairden at Wandel. He put in his taetties, because till the taetties were ready in the field we used them. But he had always plenty cabbages and carrots and a' thae things. Oh, we had a guid diet.

And then oo fished the burn, jist the broon troot. Ma dad yaised tae catch them. In fact, he used tae guddle them sometimes! Oh, we used tae like the burn troot. And then we werenae far off the Clyde, ee see. And he used tae sometimes go doon and fish the Clyde. In thae days it wis allowed, in thae days it wis. Oh, in the Clyde it wis troot, but big yins. But ye never got fed up eatin' fish because they didnae get too many for tae gie ye it, ye didnae get too much fish.

We could get plenty rabbits. Oh, we could catch them oorsels sometimes. Sometimes we snared them but, well, on the hervest fields we aye got plenty rabbits then when they were there. And ye got the odd hare. And it wis great, ye ken, it wis great.

Ma mother did plain bakin', plain bakin': scones, pancakes. She didnae make fancy cakes or that. She boaught her bread frae the baker. He come round wi' a van. It wis a' she boaught. Maybe an odd bun or something like that she wid buy, and biscuits. But as for scones and that . . . we had the auld fashioned oven at the side o' the fire. Oh, it made grand scones. And then she had the girdle and ye had the swee, ye know, and ye could hing your girdle on there and you got your pancakes or that made. Oh, ma mother did a lot o' that in thae days.

So the butcher and the baker came wi' their vans. We never saw a fish motor, of course, and there wis no fruit and vegetable van came, because we'd aye plenty.

For clothes, oh, there wis a draper's van that used tae come roond a bit. And it wis Broonlie and he came frae Carnwath. He took orders. That's hoo ye got your claes. He measured ma faither up if he wanted a suit maybe. And wir shoes or that they used tae go intae Biggar tae get them. Oo wis a wee bit frae Biggar but no' very far either, maybe ten miles, because you've got tae go oot through Coulter and Lamington. Ma mother and faither they used tae pit in an order tae

Biggar and they were sent oot through the post. Or, well, the ferm had a car and they wid sometimes bring them oot, ye see. Oh, the farmer wis quite helpful in that way, because there werenae a bus came oor wey.

At Wandel there wis jist oorsels and the cattle folk. They were older and their faimly wis up and away. But there wis a young family frae the railman, the man that wis on the railway. He had family. So we jist a' played thegither. And we never foaught. Ye never fell oot wi' them or onything, ye jist a' played thegither.

Oo played roonders, oo used tae play that. That wis what we amused oorsel' wi', or sometimes we played at hooses. Oo made imaginary hooses, ye ken, we did that. We didnae have many toys. We maybe got a doll noo and again. But for Christmas and that ye got boots or clothes. Ye never got much toys at a'. In fact, we never bothered, because we had enough things that we didnae need toys. Ah mean, we could gaun ootside and get something that ye could amuse yoursel' wi' that ye didnae bother aboot toys. Mercy me, what they get noo is ridiculous. But we made up wir time jist gaun oot.

We didnae bother much aboot comics then. We thought it better we read wir school books. Oo read oor school books. We used tae get a library book home frae the school. Ah did like readin', well, ah liked tae ken things, ye ken, things that wis happenin' a' throughoot – history. Ah yaised tae like books like that, interestin' yins that telt ye aboot the different places. But ah never got comics, oh, no, mercy. And we never did exchange comics wi' oor pals, we never did. Funny, ah never ever seen ony o' them wi' comics. They never did. And we jist never bothered aboot comics.

In the wintertime an' a' we used tae sit roond the fire and ma faither used tae tell us different stories an' a' that, ye ken. Oh, he wis a good storyteller. He used tae tell ee stories aboot a' the different things and aboot what he done in his youth.

There were nothing like Brownies, nothing. Ye had a long road tae go tae get tae them. So we never bothered wi' them. Even later on when we came tae Ravensneuk at Penicuik ah didnae bother either. We never bothered aboot Brownies or that there either, because, ah mean, ye got things tae dae there and ye used tae go oot tae the field or that and away and play roonders or something like that oorselves, that ye never bothered.

Ma mother wis a church-goer when we were at Wandel. And she used tae walk frae Wandel tae Lamington tae the church. It's a guid length. She went hersel', ma faither he steyed and looked efter us the time she went tae the church. But once a month she wis there at the church, the Church o' Scotland, that's where she went. Well, if the fermer and his wife were goin' tae the church they used tae pick ma mother up and take her, ye ken.

We went tae Sunday School. Ower across at the ferm the fermer's daughter she used tae take a class for the Sunday School. She held it in the farm hoose. And we used tae go there every Sunday. And we had wir nice wee text and we had tae learn this for every Sunday. It wis great what ye used tae dae. And ye had your Sunday School parties and they gave ye them in there, in the farm hoose, and they gave ye a Sunday School trip in the summertime. We had the trip on the lawn o' the farm hoose. They had a big lawn oot at the front o' the hoose and they had a pond and we got rows in the boat and that. And we played games and a' that on there. Oh, we had a guid efternin' there, Seturday efternin', the Sunday School trip. We got buns and things. And a Christmas party we always got. There were never a Santa came in then but we got wir present. Ah mean, your mother had tae sort o' buy it and put it in. But ye werenae supposed tae ken that. That's hoo it a' feenished up.

Hallowe'en an' a' that, we did them a' in wir ain hoose. We used tae dae a' thame wi' our pals frae roond aboot. We wid go tae their hoose yin time and they were comin' tae us the next time. The yin got the maist the yince, and the other got the maist the next time. But, ah mean, ye hadnae rugs and carpets then. Ye had white scrubbed widden flairs, that's what ye had. And, ah mean, well, ye didnae bother sae much aboot the flair gettin' soakin'. Oh, we always had a Hallowe'en party and we dooked for oor aipples. We never had a

Pancake Tuesday, we never bothered aboot thame. But we aye had wir Hallowe'en and that, ee ken, and wir Christmas time. Oh, we did enjoy it then.

Ah can mind when ah started goin' tae the school at Roberton in Lanarkshire. We were at Wandel and we went tae Roberton School. Well, it wis aboot two and a half miles frae Wandel, for we had tae walk up this road and up this shortcut and along the top. And it wis Dominie Waddell, we cried him Dominie Waddell. That wis his name. He wis a nice man, ee ken. We had a head teacher and another teacher, jist the two teachers in the school. The other yin wis a woman. And the last teacher that ah did have at Roberton School wis Teenie Clarkson, Miss Clarkson she wis. But she wis awfy nice. And ah learned jist too late that that teacher died no' that awfy long ago in the The Whim, in the home there up along by Lamanchie. And ah wis too late in learnin' that she wis there or ah'd ha' gone and seen her. She wis quite young when she wis teachin' us, of course.

Oh, in the wintertime at the school ye got great big drifts. Of course, ah wis the wee-est yin. And ah used tae get jist aboot lost in the drifts, believe you me. They had tae cairry me ower the drifts for tae get tae the schule, till the thing got padded doon a bit. Ah wis quite small for ma age, ah wis wee. Ah'm no' big yet, of course! Ah wis wee. Ah wis the wee-est in oor faimly, even though ah had a sister younger and a brother. But still they seemed tae be a wee bit bigger than me somehow. We'd a' tae walk tae the schule.

Well, at Roberton School there were two teachers, and on the one side there wis the highest class – like three classes – and the same in the other room. Ye ken, there wis frae the infants up and a wee bit older, and then intae the next yin wis aboot another three classes. There wis jist always aboot six or seven in each wee group, because they came frae a' the different ferms frae roond aboot. So there wid be aboot forty a'thegither. Because Roberton wis a wee village, and then up further again wis Ladygill. But that wis jist mair kind o' better off folk that had thae bigger hooses. But there werenae many o' them had bairns. But if there were bairns there they came tae Roberton an' a'. There wisnae a separate school at Ladygill. And then there were the ootlyin' ferms. There were Wandel and Woodend – that wis further doon, there were like railwaymen but there were a wee ferm. And there wis other workers aroond Roberton wi' bairns that a' come intae there. Oh, there were never mair than forty or fifty at Roberton School, 'cause when ah left Roberton there wis only one teacher. It wis reduced tae one. So there wis a lot less bairns. That wis Miss Clarkson that wis at Roberton School when ah left. She wis the head teacher then and she wis there for a long time. Ah think she must have been there near enough tae the school shut. It's no' a school any more. It's the village hall now. That wis the end o' Roberton School.

When ah wis at Roberton we always got a medal for the sort o' dux. And for two years ah wore the medal when ah wis there. Ah sat the Qualifyin' there and ah passed it.

When they came tae aboot thirteen year old they were moved frae Roberton School tae Biggar. They had tae go tae Biggar tae the High School there. But most o' them at Roberton School left the school there, they didnae go on tae Biggar High School. If they passed the Qualifyin' they went tae Biggar. And then they a' left at fourteen then. But at Biggar ye could stay on older – fifteen, sixteen – if ye wanted tae.

In thae days ye jist seemed tae amuse yersel', 'cause ye used tae go and play doon at the Wandel Burn. We had great fun. But when it wis in spate oo wis chased. Ma mother widnae let us. Oh, and mind you, when it wis in spate it wis. It wis quite dangerous. But we got tae know we werenae tae go near it when it wis up. In fact, it wis frightenin' when ye see it that way. Ye jist knew yoursel'.

The Wandel Burn went intae the Clyde. And ah nearly went in it yin day. There were one day and the burn wis in spate and oo were telt we werenae tae go. And there were ma aulder sister Amy, ma younger sister Bella and me. We were telt we werenae tae go near the water and of course oo went. And ma younger sister Bella jist pushed me in. And if it hadn't been for a long dress and the side o' ma older sister I'd have been doon the Clyde. We wisnae very far away frae it at the time. And, hooever, when we gied hame ah wis soakin' wet. We were put in oor bed for three days for punishment. For oo wis telt we werenae tae go tae the burn and we went. And that's what we got for punishment.

But in the summertime an' a', when they used tae be takin' in the hey and things like that, we used tae get a hurl on the bogie. Oh, we had great times. And ye learnt aboot the work o' the ferm. Ye learnt aboot what ye had tae dae and aboot the plantin' o' the taetties and things like that, and the shawin', singlin' o' the turnips, and a' thing like that.

As ah say, ah sat the Qualifyin' at Roberton School and ah passed it. But ah left Wandel jist before oo were tae go tae Biggar High School, and then ah came tae Penicuik School. Ah went tae Wandel when ah wis four and ah left when ah wis eleven, in 1927. Ah've nae idea why ma faither decided tae move his job. He must ha' jist ha' took the notion he wis wantin' . . . And then ah think he thought, tae, we were gettin' aulder and we were goin' tae be seekin' jobs and it wis kind o' far for tae go frae Wandel tae jobs. It wis a small farm. So, as ah say, ma aulder sister Amy, well, she wis at Elsrickle. And she wis there for quite a wee while. Well, we moved then frae Wandel tae Ravensneuk farm at Penicuik.

Ah remember that flittin'. I could mind o' movin' frae Wandel and it wis Will Clapperton that moved us. He had a lorry and he moved us wi' oor furniture and we a' came on the back o' the lorry tae Ravensneuk. It wis an open lorry. And they jist had the furniture, 'cause, ah mean, for two rooms ye hadnae a lot o' furniture. They had the sofas – well, what we cried sofas and that – and they put them so as we could a' sit on them on the back o' the lorry. Ma mother wis in the front. Ma faither sat on the back wi' us. Oh, we used tae think it wis great. It wis quite a bit journey frae Wandel tae Ravensneuk. We werenae much in motors then at a'. Oh, ah think oo were quite keen tae go frae Wandel, because oo wis gaun tae a different place.

The house at Ravensneuk wis jist something the same as what we had left at Wandel – a room and kitchen. It wis renovated later on in the years, right enough. They didnae put ony mair rooms on it but they put on a kitchen at the back. And we didnae get a bathroom but we got a toilet, but that wis later on. When oo first went there it wis still a dry toilet, it wis roond at the back o' the hoose. It wisnae sae far away frae the hoose as the other yin at Wandel wis. But there were a wood at the back o' it, at Ravensneuk.

But at Ravensneuk we still had wir auld grate wi' an open fire. We still had the same thing. It wis paraffin lamps. Then years later they put in the electric light. When we went tae Ravensneuk the electric light wisnae even in the ferm hoose then. They put in the electric tae oor hoose when they put the lightin' intae the ferm hoose. That wid be aboot 1934, '35. They still had paraffin lamps till then.

The water supply at Ravensneuk wis jist the same, because we had a pump outside. And then two or three years efter we arrived we got the water put intae the hoose. That wid be aboot 1930. But we didnae get a bath then. We jist had a great big tin bath. And we got a flush toilet efter they renovated the hooses. Ah'd be aboot fifteen, sixteen when they got the toilet put in.

As ah say, ah went tae the Penicuik school. What wis Penicuik High School then wis in John Street and Jackson Street. They had a hut at the side o' the big school and that's where ma sister Bella went. Ma brother he went tae Kirkhill School. But ah went intae the big school. Ah liked Penicuik High School but it took me a wee while tae get used tae it, because it wis jist a' the one sort.[41] Ye had a big crowd in the one class. There were far more pupils there than at Roberton School. And of course when ah came tae Penicuik they said ah wis a wee bit further advanced than what they were for the age in Penicuik. But they put me intae the age wi' the other yins.

Well, ma mother and faither they couldnae afford tae keep us at the school. The wages then – ma faither had thirty shillins a week. That's what they had when ah left the school. And there were a' the other yins below me in the family. Ye had tae go and work then. Well, ah don't know if ah had been lookin' forward tae carryin' on at the school or no'. Ah think ah wis. But ah never jist thoaught on becomin' a nurse or that. Ah jist aye thought, 'Oh, well, the first job'll be mine,' sort o' style. Because ah kent fine ma mother had a hard life and there were a lot o' us, and the auldest had aye tae be the worst o' it and you had tae sue in for tae help the rest. Ma auldest sister Amy wis away frae hame when we were at Wandel. That's what ah say, ah wis made the richt slavey for them a'. Ah left the school frae Penicuik School when ah wis fourteen. That wid be 1930.

Well, as ah say, ah wisnae long there at Ravensneuk – ah wis eleven – when Mrs Graham, the farmer's wife, says tae me, she says, 'Come on,' she says, 'and ah'll learn ee tae milk the coos.' So she gied me a wee stool – and, mind ye, ah didnae need a long legged yin – and a luggie. And she sat me doon at a coo that wis goin' kind o' dry. And ah hadnae done it for very long and she says tae me, 'Oh,' she says, 'ye'll sin be milkin' along wi' the rest.' And ah had tae step in sometimes and go tae the milkin' in the mornin' afore ah went tae school in Penicuik. But, mind ye, it wis great. Oh, ah wis up afore half past five. And then ah wis away ower and then we got the milkin' din. And then ah wis back ower hame tae get ready for the school.

And then Mrs Graham says tae me, 'Do you think, Nellie, you could sell my eggs in Penicuik?' And when ah wis goin' tae the schule in the mornin' ah yaised tae have a great big basket o' eggs, wi' aboot twelve dozen in them. And ah wid leave them in some o' the shops, ask them if they'd keep them tae dinnertime. And then ah wid eat ma piece goin' along the road at dinnertime, sort o' style. And ah went and selt the eggs at the different places through Penicuik. Penicuik wisnae the size it is noo, of course. And ah used tae sell Mrs Graham's eggs. The eggs were 9d. and a shillin' a dizen then. Every day ah had a basket o' eggs, a dozen dozen. There were some days ah didnae have so many – the districts ah wis at, ye see, and when they didnae take sae long wi' the different streets ah had tae go tae. Then ah did the milkin' again when ah got back hame at night. On a Seturday ah used tae gaun and scrub Mrs Graham's flairs. That wis a guid hoor, for they were stane flairs.

Mrs Graham paid me 2s.6d. a week for daein' the eggs. For the milkin' and scrubbin' the stane flairs ah wis lucky if ah got ten shillins, ken, for a month – 2s.6d. a week. She didnae gie me very much money but she would say, 'Come on, ah'll get ye a frock.' And she used tae get me a frock or a coat. Oh, she sometimes made them and she made a braw job o' makin' frocks. Oh, it wis no' an awfy lot, as ah tell ye. Ah worked aboot 29 hoors a week. Ah wis still at the schule. You were a slavey, you were slavies then.

And then when ah left the school ah wis quite pleased because, as ah say, ah knew ah had a job tae go tae, because ah jist left the school and ah went tae work at Ravensneuk. The job wis there for me. As ah say, ah wis daein' it when ah wis at the school when onything happened or that, or holidays or that. Ah wis goin' out and daein' the milkin' afore ah went tae school in the mornin'.

Oh, they had aboot twenty fower coos at Ravensneuk. And, ye see, there were four o' us milkin'. We'd aboot six coos each tae milk. The milk went tae Penicuik Store then, the Co-op. They yaised tae come and lift it. And the cans they took away they brought them back the next day. But they rinsed the milk oot them. And then when the cans came back ah had tae wash them a'. That's when ah started tae work at Ravensneuk efter ah left the schule. And ah had tae clean a' thae cans. Ah had tae wash a' thae and plot them a' – scald them a', plot them in hot water, scald them in bilin' water. And we had tae turn them upside doon and let them dry. And then, well, we didnae dare put the milk in hot cans, ye ken. Of course, they were done in the mornin' and they were cauld by the next day. That wis one o' ma jobs as a girl o' fourteen. And then ah had a' thae tae dae.

And then ah had tae gaun in tae the hoose and dae the kitchen work and things like that, domestic work. So ah did the dairy work and the hoose work. Oh, when ah left the school, well, we had tae be out there for tae start the milkin' the back o' six o'clock in the mornin'. And we had tae have the milk a' ready and that, for the Store yaised tae come aboot eight o'clock in the mornin' tae lift the milk.

So ah got up aboot half-past five. Oh, we always had a cup o' tea and that. And then we went up tae the byre and we milked the coos usually while Mrs Graham made wir breakfast. There wis four dairy workers at Ravensneuk. The other yins wis the Grahams' two sons and Mrs Graham hersel'. She wis a milker, the two sons and me. Well, John done the cattle, and Andrew, well, he did bits and pieces, and he did the hens and a' thae sort o' things. Well, the four milkers we milked one coo each afore we had oor breakfast. And then oo'd tae come back oot and finish the milkin'. We came back tae the byre and did five coos each. By that time it wis quarter to eight or so. The Store came at eight o'clock prompt tae lift the milk. We had tae have a' the milk ready. Oh, well, if we had oor certain time when we started and that we kent we had time tae get it a' done. Oo jist worked steady away, and then, oh, ye had sometimes the coos a' fed again afore they came for the milk. The Store were always there at eight o'clock, oh, they were aye there – unless onything happened them, if they broke doon, or somethin' like that. It wisnae an awfy rush. Ye'd jist your sort o' routine and ye kent ye had that tae dae.

It'd take ten meenutes tae milk each coo. So if ye started at half-past six ye had an hour and a half. Oo were always feenished in good time. You werenae strainin' against the clock.

Then ye went and ye fed your calves. Ah had so many calves tae feed. It varied sometimes. Ye see, if it wis a male calf, even if it wis born that mornin', if it wis standin' at a' and it wis a market day on a Tuesday, away it went, away it went. We sold it. But if it wis a female we kept them a', 'cause we bred off o' them. We reared thame. And ee kept goin' on like that. Oh, we had always quite a wee few calves sometimes, never as many as a dozen. If there were half a dozen they were bigger. Ken, you had two or three o' them a'thegither, and they didnae get milk then. They were fed on a sort o' substitute. And then they could eat by that time. They were a bit older, they could eat other food, what the rest were eatin'.

Then efter oo'd dealt wi' the calves the next job wis the milk dishes, wash the milk dishes. Ah'd tae go and kindle the boiler fire. It wis a coal fire then. And ah had tae boil up the water for gettin' the water for tae wash the cans. And ye had a big round tub thing ye'd tae wash them in in the dairy. And then ye had tae bile up your boiler again, for tae get the boilin' water tae scald the cans. Ye'd get thrown oot for it now! Because, ah mean, it's a' steam now, ye ken. It's a different thing a'thegither. But we had tae dae a' that when ah wis fourteen, jist masel'. That wis ma job. Ah wis the youngest o' the four milkers.

And then ah went frae there intae the farm hoose and did what ah had tae dae in the hoose. We got something tae eat in between that, of course. We had a wee break. We got wir tea and that in the middle o' the day – ten o'clock, something like that. And then we had wir dinner at dinner time. We'd always an hoor at dinner time.

Ah didnae go hame, ah got fed in the ferm hoose. Oh, oo had aye a guid meal. We had aye a three course dinner every day. Oh, ah sat wi' the farmer, Mr Graham and his wife. You werenae sittin' on your own, no' unless they had visitors. If they had visitors, well, that wis different.

But often efter ah wis done in the thingmy and had the hoose work done ah yaised tae go and help in the byre and get ready for the milkin' time at night. Well, we din the second milkin' before wir tea time. We had tae start aboot four o'clock, on tae about half-past five. And then efter oo got it done that wis it. And then we got wir tea, oor tea time. We had always a cooked tea an' a' in the ferm hoose. We'd aye a cooked tea. Ah always got ma tea. And then ah had tae wash up the tea dishes and that and then ah went hame. Ah wis feenished usually aboot six o'clock. It wis a long day when ah wis fourteen. Ah didnae feel tired at the end o' the day, no' then. Ye didnae have time for a rest, no' even at your dinnertime. Ah mean, at your dinnertime ye jist had your dinner and a' that and ye says, well, ye've got the dishes and that tae wash and ye jist went away and started them and suchlike, and then ye got ready for the milkin' time in the efternin. Well, that's what oo'd tae dae.

They never thingmied aboot times then in thae days. It wis aboot eleven and a half hoors a day ah wis daein'. That wis Seturday and Sunday an' a'. So that wis aboot eighty hoors a week.

When ah started tae work first at Ravensneuk efter ah left the school ah had twenty four shillins a month! And if there were the five weeks it didnae maitter hoo mony days wis in the month ye jist had your pey on a certain date. The 28th, that's when ah got ma pay. So ah had six shillins a week for workin' eighty hoors a week. Well, that wis the wages and that's what they peyed ye then. And ye got your food. Ye got your breakfast, ye got your dinner, and ye got your tea, and ye got a wee break in the mornin' – a cup o' tea and a scone – aboot half-past ten or ten o'clock. Well, in thae days it widnae amount tae very much. But, mind ee, ye were well fed, that's yin thing.

But ye didnae have much money in your hand at the end o' the week. Well, at the start ma mother got ma wages, the whole lot. And she wid gie me pocket money – oh, no' very much. Ye were lucky if ye got five shillins for a month. Aye, ye got five shillins for a month – aboot 1s.3d. a week. That wis it. Sometimes ah didnae bother takin' it, tae tell ye the honest truth, for what can ye get for it? Ah didnae smoke. Sometimes ah bought a sweetie, that wis aboot a'. Oh, ah never went tae the dancin' tae ah wis aboot eighteen year auld. Well, there wis a cinema in Penicuik. But the picturs never bothered me. Ah didnae go tae the pictures at a'.

But that wis a' ye got for pocket money, aboot 1s.3d. a week, that wis a'. And then the wages rose frae twenty four shillins tae twenty eight shillins when ah wis aboot fifteen, something like that. As ah got aulder it went up. Ye got another rise. Ye got maybe two or three shillins a month more.

A' the time ah worked at Ravensneuk it wis still jist the same work, milkin' the coos, cleanin' the byres, cleanin' in the ferm hoose, helpin' wi' this and that and the next thing. And the hoors remained the same, seven days a week. The cattle didnae have week-ends off! They needed tae be milked.

And, ah mean, well, ah didnae get ony time off there at Ravensneuk. Ah never had a day off there. Ah got ma holidays. Ah got a week's holidays, ye got a week's holidays paid. But it wis jist yin week. Oh, it wis in the summertime. They aye usually got it between the hey and the hervest, when the time wis kind o' slack, in July. Ah didnae help wi' the hey or the hervest at Ravensneuk, ah didnae dae it there.

Well, ah wis seventeen when ah left Ravensneuk. So ah wis there aboot three years. How ah did leave wis Mrs Graham she wis an awfy crabbit wummin. And of course oo went oot this mornin' and yin o' the sons he wis finished milkin'. And of course he put his milk through the sieve. And he didnae look tae see hoo fu' the can wis. He jist left it. So when ah came, before ah put the milk in tae the can, ah lifted it tae see hoo full it wis. And of course the milk came ower the top and the flair wis soakin'. And if ee spilt a wee pickle milk ee thoaught wi' Mrs Graham ee'd spilt a gallon. And of course wi' the flair bein' wet the milk wis a' ower the flair. And of course ah had moved the sieve intae the big can and ah put ma milk in there. But when Mrs Graham came doon tae the byre tae milk, oh, the length she went! 'Whae's spilt the milk?!!' Ah says, 'Well,' ah says, 'ah didnae spill it.' Ah says, 'It wis whae put the milk last intae the can they didnae look hoo fu' the can wis. And,' ah says, 'ah lifted it up and the milk come ower the top.' Ah said, 'But ah moved it intae the next yin.' Well, she ranted and she raved on aboot this pickle milk, ee ken. Och, it wid jist be aboot a cupfu' that wis spilt!

Well, ye wid usually have aboot 50 or 60 gallons a day o' milk at Ravensneuk. It wid be aboot 25 gallons at least frae each milkin'. We had twenty four cows, and that wis the milk for night time and mornin' time. And we had aye aboot ten cans went away. Some o' them were different sizes – some o' them ten gallons, some o' them wis five gallons. The milk went off in the mornin', ye see, but it wis frae the night milkin' and the mornin' milkin', the two milkins. There wis aye a guid lot went onywey, ee ken. Some o' the cows gave a guid puckle, some o' them were a gallon and a half or that. And some o' them that wis goin' dry were a lot less.

Well, ah had spilt a cupfu'. And if ye'd seen it, oh, the length Mrs Graham went. But it wis the flair bein' wet, and of course when the flair wis wet if ye spilt a cupfu' ye thoaught ye'd spilled a gallon! It jist spread richt oot. Well, she mumped on and mumped on aboot this milk bein' spilt this mornin'. And ah says, 'Oh, tae dash,' ah says, 'ah cannae take this ony mair.' Ah rose frae the coo ah wis sittin' at and ah laid ma stool and ma pail on the flair and ah walked hame. Well, she realised that ah couldnae take her ony mair the wey she wis goin' on.

Well, ye ken, John Graham wis an awfy devil, ee ken. He wis fu' o' devilment in his wey o't. And of course if he could ha' blamed it on somebody else he blamed it. He wis the youngest yin. It wis him that didnae look tae see hoo fu' the can wis. It wis fu' right tae the brim. But if he had watched what he wis daein' it widnae have happened. Of course, he jist cowped his milk in and that wis it.

And ah went hame. So ma mother says, 'What's wrong wi' ee?' And ah telt her. 'Ah, weel,' she says, 'that's it – feenish.' She says, 'Ye'll be leavin' there.' So, hooever, when the boss, Mr Graham – he wis away feedin' the hens roond the fields, ye see – when he come in and Mrs Graham telt him what had happened he come ower tae see me. And ah telt him what happened. 'Och,' he says, 'come on, back ee come.' Ah says, 'No.' Ma mother says, 'No. She's no'. And a month frae the day she'll be leavin'.'

So ah gave Mrs Graham a month's notice. Mind ye, she didnae expect me tae dae this, ye ken. Ah didnae have another job tae go tae. She thocht ah wid jist go back again. Ah did go back – but tae work ma month's notice.

But on the throes o' this – ah dinnae ken hoo it got aroond – but it wis Wullie Stodart that wis in Carsewell ferm and they were needin' somebody tae dae the same as ah had been daein' at Ravensneuk. So ah got a letter frae thame, the Stodarts. And they offered me £2.10.0. – no' ten pence, ten shillins. They offered me £2 ten shillins a month for daein' what ah wis daein' at Ravensneuk for £1 twelve shillins. So, right, that wis it.

Carsewell ferm is up on Penicuik Estate, where Sir John Clerk lives. Carsewell wis an estate farm. Ravensneuk wis Sir John Clerk's, tae, of course. He wis the landowner. Mr Graham wis a tenant farmer and so was Wullie Stodart. But when ah went tae Carsewell ah had tae live there, ye see. Ah had tae live in and ah wis gettin' £2.10.0 a month. So ah thinks, 'Right, that's great.' So it made a big difference. Ah wisnae sorry tae leave Ravensneuk.

At Carsewell ah lived in the farmhouse. We a' had a room in that. We had tae keep wir room and everything. The Stodart family were livin' there. Ah lived in and the tractor-man lived in there. He wis a single chap. But they had accommodation in the farmhoose, ee see. This wis the sort o' back end o' the hoose. And the tractorman had a room and ah had a room. But it wis a' in the big hoose. And it wis really great, for ah liked ower there. Ah liked at Carsewell.

And ah wis jist daein' the same sort o' thing, the same sort o' work, as at Ravensneuk. But it wis an earlier rise in the mornin' at Carsewell. Well, ee were gettin' up at half past three or quarter tae four, for ye had tae have the milk a' ready and that. And the milk had tae be in Edinburgh for six o'clock. Wullie Stodart used tae take it in hissel'. He had a place in the toon, a dairy shop in the toon then that he took his milk tae. Ah think he had two different yins, two different places that he took his milk tae. But anywey that's what happened.

Maybe there were aboot thirty coos at Carsewell, ah think, 'cause that wis a double-sided byre. There wis sometimes five milkers, but maistly four. Ye were still daein' your six coos apiece, if no' mair. Sometimes we had mair tae dae. It depended, because we had a wee spare byre. If we had mair milkers they were in there. But anywey we had tae dae this.

When ah went tae Carsewell we still had the paraffin lamps there. Then we got the electric put intae the house and through a' the farm steadin' everywhere – the byre and everywhere. It wis great when ye could gaun intae the byre and jist flick on the light frae havin' tae dae thir lamps every day. Ye ken, it wis cruel actually in a byre wi' a lamp hingin' here, another yin a wee bit further doon, and another . . . It wis terrible when ye think on it. Ye couldnae see. Ye were mair or less kind o' brogglin' in the dark. It wis a poor light, a paraffin lamp. And, ah mean, it wis only yin o' yon storm lamps ye had. And then ye had tae grople through the shed tae get intae the milk hoose, as we cried it – the dairy bit.[42] And we had tae go in there and then we had this big place where we washed a' the milk dishes and that. So it wisnae long before the war the electric got put in.

We hand-milked and we did this for a guid number o' years. Oh, we did that for aboot three, four years, hand-milkin'. And ah'd been at Carsewell aboot six years and then the war wis startin' and we went on machines efter that. And ah did the machines, because, well, a lot o' them were goin' tae the Forces and a' that. And ah did thame. But, by jingo, it wis great. What a difference it made, goin' on tae machines. Oh, it made the job much easier, it did. And we had the electricity intae the ferm by that time.

Ah worked in the farmhoose, tae, at Carsewell – cleanin' work. And then, well, ah had mair dairy work tae dae efter that ootside so they got somebody else in tae dae the hoose. Ah wis ootside efter that in the dairy. It wisnae very long efter ah went tae Carsewell that ah began tae work jist in the dairy and no' in the hoose. Oh, ah preferred that, ah did. And then as time went on and the war came, the dairyman went away and ah did the hale lot. Ah fed the cattle, mucked the byres – ah did the lot. But, well, things wis much easier by this time because we had the milkin' machines. Granted, ye had tae clean the byre wi' a barrow and a shovel. But, ah mean, the midden, as we ca'ed it, wis jist, oh, aboot twenty feet away frae the byre. Ye had a rare jist tip ower, a plank runnin' up the midden. But we didnae have a plank until the midden wis gey weel filled. And that wis it. And then of course it wis great when ye had jist tae go tae the wa' o' the midden and jist cowp it ower. It wis great that wey. Ah didnae find that awfy hard work. It wis heavy work, but still ah enjoyed daein' it. And ah wis on ma own by then, once the war came.

When ah first went tae Carsewell aboot 1933 when ah wis seventeen they hired in for a milker. They had a cottage there, ye see. And there wis the mother did it and one o' the daughters, they did it. And then the daughter went intae the hoose and she did the work in there that ah had been daein' afore then. But ah did a' the milk dishes and everythin' like that, and kept a' that place clean, and then, well, the hens and a' the things like that. Ah did the hens and everythin'. The other milker wis the boss hissel', Wullie Stodart. So there wis the boss wis milkin', and the daughter, and the man in the cottage, and me.

There wis two cottages at Carsewell. But there wis the one let. There were a milker in it. And the other yin, Albert Stodart, Wullie Stodart's brother, he stayed in it for a while. Then Albert took the ferm at Silverburn, and his mother came frae Silverburn intae the cottage, 'cause she wis gettin' old by this time.

At Carsewell, though ah wis livin' in the ferm hoose, we didnae have tae work on after six o'clock at night. If we went and did onything efter that it wis fun, tae tell ye the truth. He kent fine that we liked tae dae it, 'cause oo had a lot o' cattle, ye see. We had a lot o' dairy cattle and oo'd a lot o' cattle comin' up, ken, young yins and that, heifers. We never had sucklers or onything like that, but oo had the heifers. And when it came tae the spring we put them tae the gress, but we shifted them occasionally. And Wullie Stodart he wid come – he wid ken that field wis gettin' a wee bit . . . and he wid say tae us, well, 'Div ee feel like goin' for a walk? Jist shove some beasts the nicht?' Ken, and oo used tae love daein' this. Oo didnae get paid for that. It wisnae overtime. We jist did it sort o' voluntary, 'cause oo wis daein' nothin' onywey, ye know. We wis as weel goin' daein' somethin, 'cause he would go, his daughter wid go and oo went. And we jist moved them frae field tae field. It wisnae very often he asked oo, maybe no' even once a month or fortnight, jist several times in the summertime. That wis it, because in the winter they a' came inside. But though ah wis livin' in the fermhoose, the Stodarts they never did pile things on tae ye. They didnae dae that. Ah finished at six o'clock at night usually. But we never went away oot rakin', because they didnae like ye goin'. Well, they didnae say ye hadnae tae go. But they didnae like ye' goin' away oot rakin' or that at night.

Oh, sometimes at night at Carsewell we sat and we knitted or we went for a bit walk wi' the daughter. The Stodart's daughter Jessie she wis younger than me. Sadly, she's dead now. But we got on awfy weel. And, ah mean, we didnae live as if we were workers. Oh, ah wis treated as a member o' the family. Ah mean, oh, we had great times thegither we had, Mrs Stodart and I. Mrs Stodart she wisnae what ye'd say awfy strong in a wey. But we did the hens and that. But, ye see, she aye attended tae them, and she wid say, 'Oo're needin' tae dae such and such.' Ah says, 'Well, if ye wait tae night time ah'll go and help ye tae dae it.' And we did a lot o' things thegither. But ah wisnae doin' a lot after six o'clock, no' a lot, though ah wisnae gettin' paid for it. When the chickens wis comin' and Mrs Stodart wis needin' a place put up for her hens, we yaised tae go and dae it for the sake o' daein' it. But she wis awfy nice, Mrs Stodart. Ah mean, we got on awfy well, we did. And onything she needed ah yaised tae help her tae dae it.

Food: we were fed there tae in the fermhoose. The only time ah did the cookin' wis if Mrs Stodart wis ill or if they were on holiday. But that wis the only time ah did it. Oh, we got fed. And ah wis as well fed there as ah wis at Ravensneuk. Oh, ye never wis stinted wi' food.

And, oh, we got twae weeks' holidays there, aye, we got twae weeks' holidays. And we had a day every month. Efter oo had oor mornin's work done oo could, yince a month, we went hame. Well, ah yaised tae go hame, because ma mother and faither they steyed at Eddleston then. Well, they went away frae Ravensneuk no' long efter ah left there. And then they went tae Easter Bush and they were there for aboot two or three year. Then they went frae there back tae Eddleston, tae Hattonknowe. Ma faither started workin' there. And that wis a kind o' bondage thing. Ma faither and ma two brothers they went intae it. Ah visited them on ma day off. That wis it.

Ma younger sister Bella she come ower tae Carsewell tae work. She wisnae there awfy long. She worked in the hoose. She did, like, Mrs Stodart's sort o' work, housework. Mrs Stodart wisnae feelin' awfy great and ma sister wis there daein' it. And on a guid Sunday mornin' in the summertime Jessie Stodart, the daughter, wid say, 'Right, are we goin' for a walk, Nellie?' Ah'd say, 'Oh, well, aye, we could.' So on a Sunday mornin', efter we had oor jobs a' done and that, and, well, efter ah went intae the byre and that ah didnae dae the milk dishes. It wis somebody else did them. And we yaised tae get oor flask and a piece on a Sunday mornin'. We went up by Hopelands.[43] The yin mornin' oo'd go up Carnethy Hill and oo sat on the top o' the hill and we had wir tea, and then we started back doon again tae dae the milkin' in the efternin. The next Sunday we went up the Black Hill, and the next yin we went up the Scald Law. We did the three hills each time and that's what we did dae. We went up thae hills and came back doon, and we were aye back tae dae wir work. It wis a guid walk. And we wis back hame for the efternin job.

Ah never joined a union when ah wis at either Ravensneuk or Carsewell. Naebody ever asked iz. The only body that ever wis in the union wis ma faither. But he never did say ah should join a union. He wisnae active in the union, ma faither. He wis jist a member o' the union. He paid his dues. It wis Jimmy Cairns frae Greenlaw Mains at Glencorse, he wis a collector. He worked at Greenlaw Mains ferm and he wis a collector. He yaised tae come and collect it. But he never asked me tae join. We never joined, we never ever joined the union. Ah dinnae remember o' hearin' o' any other women bein' in the union.

Ah never felt hamesick when ah wis livin' at Carsewell. Ah jist kent ma mother and faither wisnae very faur away, so ah jist never ever bothered. Ah never felt cut off because efter we'd oor work done we could gaun and dae what we liked. And, ah mean, efter that we got a bike. Ah think ah'd be aboot twenty when ah got a bike, two or three years efter ah went tae Carsewell. Well, if ah wis goin' hame tae Eddleston ah yaised tae cycle. Or if ah wis gaun tae Penicuik ye jist yaised tae jump on your bike and away ye went. Or we went away for runs at night wi' Jessie Stodart.

On a Seturday nicht, or a Friday nicht, if there were a late dance on, we landed at the dancin'. We went tae Carlops, West Linton, Newlands, on oor bikes. We didnae go on a bus, we cycled. Oh, we had great fun. For a' the times ah went tae dancin' ah never danced in Penicuik. Ah never came tae Penicuik dancin'. Och, oo didnae bother that we had tae cycle away tae Carlops. Carlops wis nae bother. Ah mean, it wis quite flat there. And then oo'd go tae West Linton and then we'd go away tae Newlands. Newlands is yon side o' West Linton, along the Lamancha road. Well, that's where ah used tae go. We used tae go tae Newlands an' a'. It wis country dancin', oh, eightsome reels. But we done a' thame. And we had great fun. Far better dancin' at the country dances as ye got in the likes o' Penicuik.

Well, ah got married at the beginnin' o' the war but ah still worked, because ma husband wis goin' away tae the war. He belonged tae Penicuik. He wis a paper mill worker. He worked in Valleyfield. But efter oo were merried in 1940, well, he went tae the war. He wis in the army, in the Gordons. He joined up in the K.O.S.B.s but they transferred him oot o' there intae the Gordons. And he went abroad wi' the Gordons tae North Africa. And he wis jist eighteen months, ah think, in the army when he got wounded at Tunis. And he came back and his muscle wis a' blawn oot in his airm. And of course he wis in hospitals doon in England. Then they eventually got him back tae Edinburgh, tae the Margaret Rose Hospital. And he wis in there. And they were goin' up tae somethin' at the Castle one night and in the blackoot he fell and he broke his airm again. So they telt him if he did it another time that he wid loss it a'thegither. But, hooever, he managed tae keep his airm for that time. But the war wis nearly finished when he wis demobbed on medical grounds. They discharged him, they discharged him unfit. And then, well, he came back hame and oo got a hoose and oo lived in Penicuik for a while.

Ah gave up ma job at Carsewell when ma husband came

back frae the army. Ah had still worked at Carsewell efter ah wis merried. Even in peacetime ye could cairry on workin' efter ye got merried. So ah got married in 1940 and ah wis five years merried when ah left Carsewell tae have ma son. It wis jist before the war finished. Well, it wis a wee while efter ma husband wis discharged frae the army. He came oot and then ah got a hoose in Penicuik. It wis one o' the papermill hooses.

But ma husband decided that he wid like tae go tae work on the ferm an' a'. So, well, at Carsewell there wis a cottage. So then we got the cottage at Carsewell. Oo only lived at Penicuik a wee while. and then we went up there tae Carsewell. Ah did the dairyin' work there again, jist the same as before. But it wis sort o' part-time jist, jist fittin' in wi' ma family, because ah had ma wee boy then, ye see. Ma husband worked at Carsewell as a spare man, an orra man. And he did that.

Then Mr Stodart gave up Carsewell ferm and went tae Fordel Mains ferm at Dalkeith. And we went there. But when we went frae Carsewell tae Fordel we'd jist a couple o' milk coos. Mr Stodart sort o' took a' the young beasts wi' him and he brought them a' up tae calvin' line, and then he sold them And, ee see, he went on sort o' breedin' them jist. We only had enough coos tae dae wirsel'. And ah did the hens and a' that there, and housework in the farmhouse an' a'. So we were there for a few years, well, no' a great long while there, then ma husband left and we went up tae Redside ferm at Carrington. And oo werenae long there when ma husband decided he wid like back tae Penicuik tae the mill. So we went tae the cooncil and ah waited three weeks on a hoose and ah got the last Timber hoose – a widden hoose – that wis tae let. Thae hooses were known as The Timbers in Penicuik. Ah got the last yin. And ah wis there thirty four years and ah've been in ma present hoose in Penicuik twelve years.

So ah gave up ferm work when we moved frae Redside at Carrington. That wis the last place ah did ferm work. Ah wisnae there at Redside very long. We lived up at the farm at Redside, and it wisnae a very great hoose. It wis only a room and kitchen, and ah had a son and a daughter by then. So ah got a new hoose in Penicuik, as ah say, when ah applied for it. That wis me then. That wis aboot 1954.

When ah came doon tae Penicuik frae Redside ma faimly wis still wee. Elizabeth, ma daughter, wis born in 1952 and wisnae at the school. And then ah got a cleanin' job in Eskmill paper mill. And ah wisnae a great long time there when ah got the offer o' a job in Valleyfield. And ah wis in the paper mill at Valleyfield. Ah wis in the rag hoose, that's what they cry it. And then the rag hoose shut and ah went on tae the Duplimat – overhaulin', that's checkin' the paper. Then ah hurt ma back there – and that wis it. That wis the end o' ma workin' days. Ah've noo had seeven slipped discs in ma back. Well, ah did the bottom bit o' ma back in the paper mill, which they widnae allow me tae work efter that. So ah have a pension for that. But since then ah've had another four discs oot frae here up the wey. But ah went tae the osteopath and got them put back in, which is great. And that's it.

Well, when ah left Redside and the ferm work ah had worked on ferms aboot twenty-five years. Ah think ah felt then ah had ma faimly and that, and then ah had came tae the sort o' stage ah thocht ah had worked long enough on that kind o' line, and tae have an easier time. Well, ye wanted tae sort o' spend your time and look efter your faimly. And, ah mean, efter ma husband came back off the war he really wisnae a strong man. As ah say, he went away fit but he didnae come back very fit. For he come back a wounded man, then he wisnae long hame and he had ulcers. Then he had a hernia and he had an operation for that. Then he had another yin. Then efter that he took peritonitis. He had the ulcers for twenty four years then they operated on him and sorted thame. But he jist went on and such like. Then he died o' cancer. He wis sixty-eight when he died. That wis in 1983. Then ah lost ma son three years ago. It wis a tumour, it wis a multiform. Oh, he wis only fifty one. Well, then ah looked efter ma twa grand bairns to let their mother work. Then ah got married again in 1991 tae Tommy Traill, a widower. Ah'd kent him away back in ma young days. And, well, at nearly 83 ah still go oot and dae a bit o' caterin'.

Oh, well, lookin' back tae workin' on the ferms, ah've nae regrets at a'. It wis jist ma life and that wis it and ah jist enjoyed it. Oh, ah mean, when ah left school, ye jist thoaught tae yersel', 'Och, ye're jist dodgin' along.' Ye jist kent ye couldnae afford it for tae dae ony o' thae other kind o' things like bein' a nurse. Ah mean, ah kent that ma faither and mother werenae well off. And, as ah say, ah've had a struggle tae, for ma husband came back frae the army and he had a lot o' off-time in his work an' a' that. And, well, ah've learned tae live on little a' ma life. As ah say, on the ferms, ye werenae well paid. And of course when ma husband retired wages were only beginning tae get up then. And ah tell ma faimly noo, ah says, 'Well,' ah says, 'if you had lived in the times that ah've lived in you would hae an awfy lot o' money nooadays but ye jist waste it.' And so they dae. Ah mean, the wages they have.

GLOSSARY

a' all
ablow below
a'body everybody
aboot about
afore before
agin against
ah I
ahint behind
ain own
aipple apple
airm arm
airt place, area, direction
allooed allowed
an' and
anns beards
arles engagement or earnest money
as than
a'thegither, allthegether altogether
a'thing everything
atween between
auld old
awa' away
awfa', awfu', awfy awful
aye yes, still, always
bade stayed, remained
baith both
baits boots
barrae barrow
becis because
ben through
besom, bisom a difficult or disagreeable woman
bide stay, remain
bile boil
bits boots
blawin' blowing
boaught, bowght bought
borrae borrow
bowie a broad shallow dish
brat a coarse apron
braw fine
breid bread
brocht brought
brogglin' finding the way
broon brown
burds birds
ca', ca'ed call, called
cairry carry
cairt cart
caff, calf chaff
cannae can't
cauld cold
caun'les candles
cheen chain
chinae china
chinges changes
claes clothes
clapped burrowed
clatchy muddy
coo cow
cornins feeding stuffs
couldnae couldn't
cowp overturn
cowpit overturned
crabbit crabbed
craive pigsty

cried called, named
dae do
daist just
daurnae daren't
deese dais, shelf
deid died, dead
dicks ducks
didnae didn't
din done
dinnae don't
div do
dizen dozen
dooked ducked
doon down
drapped dropped
dreel drill, row
drugget coarse woollen cloth
Edinbury Edinburgh
ee you
een eyes
eer your
efter after
efternin afternoon
erles arles, earnest money
et ate
faimly family
faither, fither father
faur far
feared afraid
feenish finish
fellae fellow
ferms farms
fit foot, feet
flair floor
flooer flour, flower
forbye besides
forrit forward
fower four
frae from
fu' full
gairden garden
Galae Galashiels
gang go
gaun go, going
gether gather
gey quite
gie give
gied gave
gi'en gave, giving
gin go
gird a child's hoop
greet weep
gress grass
guddle catching fish by hand
guid good
ha' have, hall
hae have
hale whole
hame home
handfae, handfu' handful
hap cover
harrae harrow
hei he
heid head
helpit helped
hervest harvest
het hot
hevin' having
hey hay
hind a married ploughman
hingin' hanging
hissel' himself
hoo how
hoor hour
hoose house
hows, howes hoes
hunder hundred
i' in
inby near the farm or steading
ingans onions
ight eight
ither either
iz me, us
jaist, jist, jeest just
jamb stanes upright stones at the side of the fireplace
Jeddart, Jedbury Jedburgh
jeely jelly

Glossary

joukin' ducking, twisting
ken know
kent knew
kirn a celebration at the end of harvest
K.O.S.B. King's Own Scottish Borderers regiment
kye cows
kyles small heaps of hay
lang long
leid lead
lest last
lowse loosen, unbind; stop work
luggie a wooden milking pail
ma my
masel' myself
mair more
mairried, merried married
maist most
meenute, meenit minute
mony many
morn, the tomorrow
muckle big
nae no
naethin', nithin' nothing
nane none
neebour neighbour
nicht night
no' not
noo now
noob nob
o' of
ony any
or until, unless, if
orra, orrie spare, extra
oo we, us
oor our
oorsels ourselves
oot out
ootbye outlying
ower over
pant a public well
pawkies mittens
peenie apron
peerie a child's spinning top
peevers hopscotch
pert part
pey pay
pickle, puckle little
picturs cinema
pints points
plough plough
plotted scalded with boiling water
polisman policeman
pooder powder
Portybelly Portobello
pownd pond
pu'ed pulled
puir poor
putten put
raw row
reest to refuse to move
richt right
rin run
rither rather
roond round
row'ed rolled
sae so
saicond second
sate seat
schule school
scrogs crab-apples
seeven seven
selt sold
shair sure
shawin' cutting off shaws from turnips
shouldnae shouldn't
shovelfaes shovelfuls
sic, sich such
sin, sinner soon, sooner
sma' small
soop sweep
sowl soul
speelin' climbing
stane stone
stent stint

stert start
stookin' setting up sheaves
strae straw
stripit striped
strip the cows draw off the last drops of milk by hand
sue in to turn to, buckle in
swee a hinged horizontal iron bar on which pots or kettles can be hung over a fire
sweir swear
syne ago
tae to, too
ta'en taken, taking
tatties, taetties, taitties potatoes
telt told
thae those
thame them
thegether, thegither together
theirsels themselves
thir these
thoaught, thocht, thowght thought
threshin' thrashing
trait treated
traivel travel
tumblin' tam a horse-drawn implement for gathering hay
twa, twae two
twal' twelve
wa' wall
wad would
waeter water
weel well
weemen women
weir, weer wear
wey way
werenae weren't
wha, whae who
whirly night a night for the fireside
whupper-in school attendance officer
wi' with
wid would, wood
widden wooden
widnae, wouldnae wouldn't
wight weight
windae window
wir were, our
wirsel' ourselves
wis was
wummin, wuman woman
yae one
yaise use
yaised, yaist, yist used
ye you
yellaes yellows
yersel' yourself
yin one
yince once

NOTES

1. T.M. Devine, 'Women Workers, 1850–1914', in T.M. Devine (ed.), *Farm Servants and Labour in Lowland Scotland 1770–1914* (Edinburgh, 1984), 98, 101; Henry Stephens, *The Book of the Farm* (Edinburgh, 1844), Vol. I, 227; *Royal Commission on the Employment of Children, Young Persons and Women in Agriculture, Fourth Report, 1870*, Appendix C, 121; J.A. Symon, *Scottish Farming Past and Present* (Edinburgh, 1959), 460.
2. Barbara W. Robertson, 'In Bondage: the female farm worker in south-east Scotland', in Eleanor Gordon and Esther Breitenbach (eds), *The World is Ill Divided* (Edinburgh, 1990), 117–19, 130–1.
3. 'Gunsgreen House, close by the sea side and harbour of Eyemouth, is an excellent mansion. The principal peculiarity of this house is, that it was built by a wealthy smuggler. For the purpose of carrying on this contraband traffic he constructed it with many concealments within the house, and with others attached to it.' *The New Statistical Account of Scotland*, Vol.II *Berwick* (Edinburgh, 1845), 137.
4. Halley's Comet, named after the English scientist Edmond Halley (1656–1742), who first established that it reappeared at regular intervals of about 75 years, '. . . became visible in telecopes long before the end of 1909, but was not discerned by the naked eye till April 1910 . . . In Great Britain, it proved a disappointment, at first owing to cloudy weather, and afterwards from the want of a dark background. In other places, however, e.g., Madrid, Malta, Manila and in southern India and elsewhere, it was a conspicuous and beautiful object.' On 17 January 1910 another comet, known as 1910a or the daylight comet, was seen in Europe 'and under favourable conditions proved a striking object . . . [but] it disappeared very rapidly.' It may be that Mary King's parents' kitchen curtains were sacrificed to comet 1910a rather than to Halley's Comet. *Encyclopedia Britannica*, 15th ed. (1997), Vol.5, 644–5; *Annual Register 1910* (London, 1911), Part II, 17, 82; *Scotsman*, 19 May 1910.
5. Private members' Bills introduced into Parliament in 1913–14 that were aimed at establishing a weekly half-day for farm workers in

Scotland had been abortive. The workers generally continued to work a six-day week of at least sixty hours until 1919, when hours for many, though by no means all, were reduced to about fifty a week. By then some farm workers, e.g., in the Lothians (where some had enjoyed this concession from shortly before the Great War), had won a Saturday afternoon holiday on many or most weeks in the year. Reduction of hours by the establishment of a weekly Saturday half-holiday was part of the policy of the Scottish Farm Servants' Union from its formation in 1912 but, as Mary King's recollection indicates, the achievement of this policy was patchy and protracted: even as late as 1936 there were wide variations in working hours, and farm workers in some counties (e.g., Stirling and Wigtown) were still working a sixty hour week with no Saturday half-day. Joseph F. Duncan, 'The Scottish Agricultural Labourer', in D.T. Jones, J.F. Duncan, H.M. Conacher and W.R. Scott, *Rural Scotland during the War* (London, 1926), 201, 214–16; J.H. Smith, *Joe Duncan, the Scottish Farm Servants and British Agriculture* (Edinburgh, n.d. (1973)), 44–55; I. MacDougall, *Hard work, ye ken* (East Linton, 1996), 14, 93.

6. See above, note 5. Stopping work at 5 p.m. was the practice on some, but not all, Scots farms from 1919.
7. Irish men and women had been coming annually to Scotland as seasonal farm workers since the early nineteenth century. In 1905, the year Mary King was born, from Donegal alone some 3,000 came to Scotland 'and spent the season turnip thinning, hay making, potato lifting and working at the harvest in the Lothians and south-east of Scotland'; and as late as 1937 from west Mayo and west Donegal some 1,787 came to work at the potato harvest. W. Nolan, L. Ronayne, M. Dunlevy (eds), *Donegal. History & Society* (Dublin, 1995), 643–5; Dermot Keogh, *Twentieth Century Ireland: Nation and State* (Dublin, 1994), 91.
8. There was a Catholic chapel at Eyemouth but not at Coldingham. John Herdman (ed.), *The Third Statistical Account of Scotland*. Vol.XXIII, *The County of Berwick* (Edinburgh, 1992), 115, 207.
9. Norman Budge, aged about sixteen, elder son of the principal lighthouse keeper at St Abbs Head, who had only lately come to the district with his family, was searching for sea-birds' eggs with two companions about 8 p.m. on 7 May 1912. 'They had secured a couple of eggs from one of the nests and Budge was going back for a third, when he lost his foothold, and before his horrified companions could do anything to assist him he was hurtling down the face of the cliff to a certain doom which awaited him 150 feet below.' *Berwickshire News*, 14 May 1912; *Scotsman*, 9 May 1912.
10. Myxomatosis, artificially introduced into several countries from

the 1950s to reduce rabbit populations, is a 'highly infectious virus disease of rabbits . . . characterised by fever, swelling of the mucous membranes, and the presence of myxomata.' *The Oxford English Dictionary* 2nd ed. (Oxford, 1989), 180.

11. The Royal National Lifeboat Institution confirms that the lifeboat station at St Abbs was indeed established in 1911, following the loss off there on 17 October 1907 of all seventeen crew on the S.S. *Alfred Erlandsen*.
12. No. 200266 Private Charles Dunn, 1/4th Battalion, King's Own Scottish Borderers, who was born at Coldingham, was killed in action in Egypt on 19 April 1917. K.O.S.B. Register, Scottish National War Memorial, Edinburgh Castle.
13. *Lloyd's Register of Shipping 1914–15*, Vol.I (London, 1914), describes *The Pathfinder* as a steamer of 258 gross and 116 net tonnage, built in 1906 at North Shields, and owned by the Corporation of the Trinity House, Tower Hill, London. No press or other report of the attack on it recalled by Mary King has been found.
14. No report of this attack on the *Odense* has been found in the national or local press – perhaps none was published because of wartime censorship. But Ian G. Whittaker, *Off Scotland. A Comprehensive Record of Maritime and Aviation Losses in Scottish Waters* (Edinburgh, 1998), 241, records that the Danish steamship of that name, built in 1890, was attacked by aircraft on Saturday, 5 May 1917, and abandoned and stranded at Pettico Wick, about a mile west of St Abbs Head. The *Odense's* cargo was ground nuts.
15. The Education (Scotland) Act, 1883, had raised the school leaving age from 13 to 14, and restricted exemption from that minimum age limit to proficiency only at the fifth standard, although half-time employment between age 10 and 14 was still permitted, provided the child had passed the third standard and continued with whatever part-time education was prescribed by the Scottish Education Department. The Education (Scotland) Act, 1901, had abolished exemption by examination at age 13, thus virtually raising the leaving age to 14 throughout the country. The Education (Scotland) Act, 1908, provided that exemption from attendance to age 14 might still be granted to children aged from 12 to 14 for compassionate or other reasons (such as family hardship), and empowered school boards to make such exemption conditional on part-time attendance at continuation classes up to sixteen years of age if they saw fit. H.M. Knox, *Two Hundred and Fifty Years of Scottish Education (Edinburgh, 1953*), 108–9, 117–18, 177.
16. The 2/10th Royal Scots, a cyclist battalion, were raised by 24 September 1914, within seven weeks of the outbreak of war, and with Berwick as their centre shared in the defence of the east coast.

The battalion went into camp at Coldingham in June 1916, by which time it had become a source of drafts for service overseas. Transferred to Ireland two years later the battalion was by then 'composed of men most of whom had already seen considerable service abroad, and it was officered chiefly by war-worn officers, who had been sent home from France for a six months' rest.' Part of the British force sent to intervene against Bolshevik Russia, the battalion was at Archangel from August 1918 to June 1919. J. Ewing, *The Royal Scots 1914–1919* (Edinburgh, 1925), Vol. II, 739–58.

17. See above, note 5.
18. Hiring fairs for farm workers were held, normally in February or March in time for the May term, in many towns in the agricultural districts of Scotland from the 18th century onwards until the Second World War. The passing of the Agricultural Wages (Regulations) (Scotland) Act in 1937 led to the disappearance of the hiring fairs and of the long (yearly) engagements. Until at least the middle 1920s, when the Scottish Farm Servants' Union began to be successful in urging that they be held indoors, the hiring fairs were held outdoors in a street or square. Joseph F. Duncan (1879–1965), general secretary of the Scottish Farm Servants' Union, described hiring fairs in his union journal in 1913 as '. . . simply a relic of barbarism. Farmers went through the men pretty much in the same way as they did their cattle. They perhaps did not run their hands along the men but they sized them up first in the way they size up cattle which they intend to purchase.' *Scottish Farm Servant*, Vol. I, Nov. 1913, 7; Michael Robson, 'The Border Farm Worker', in T.M. Devine, op.cit., 79–80, 93; J.H. Smith, op.cit., 55–63.
19. The Women's Land Army, which had existed in the 1914–18 War, was re-established in June 1939. By 1941 it consisted of about 20,000 volunteers. Their numbers increased from the end of that year with the introduction of conscription for women aged between 19 and 30. The uniform issued to members of the Women's Land Army included dungarees and breeches. Angus Calder, *The People's War* (London, 1969), 267–8, 428.
20. The Undertakings (Restriction of Engagement) Order was passed in June 1940 to prevent farm workers attracted by higher earnings in other employment from leaving agriculture; and the Essential Work (Agriculture) (Scotland) Order in 1941 prevented workers or employers terminating engagements without the consent of the National Service Officer, except in cases of misconduct. J.A. Symon, op.cit., 249.
21. By a forestry house, Mrs King meant a house belonging to James Jones & Son.

22. The memorial scripts preserved in Cavers parish church listing those of that parish and of Kirkton killed in the Great War of 1914–18 do not include the name of John Hay. It may be he is included on the war memorial of some other parish.
23. Gypsies had been long associated with Kirk Yetholm, but the association seems to have declined from the middle of the nineteenth century. John Herdman (ed.), *The Third Statistical Account of Scotland*, Vol. XXVIII, *The County of Roxburgh* (Edinburgh, 1992), 357–8.
24. The 1st (Regular) and 4th and 5th (Territorial) Battalions of the King's Own Scottish Borderers fought in the Dardanelles or Gallipoli campaign in 1915–16. Mrs Guthrie's father was probably in the 4th Battalion, which was based on Galashiels (the 5th was based on Dumfries). In the fighting at Achi Baba on Gallipoli on 12 July 1915 the 4th Battalion lost 12 officers killed or died of wounds, six officers wounded, and 319 other ranks killed, 203 wounded, and 13 taken prisoner. The 5th Battalion that day lost 6 officers killed, 5 wounded, 76 other ranks killed and 183 wounded. 'The 1st K.O.S.B. suffered severe casualties during the Dardanelles campaign . . . The wastage has been calculated at 100 per cent every two months out of the eight spent on the Gallipoli peninsula.' Stair Gillon, *The King's Own Scottish Borderers in the Great War* (Edinburgh, n.d. (1930)), 172, 236–7, 244–5.
25. The *People's Friend*, a weekly published by D.C. Thomson, Dundee, since 1869.
26. The Women's Institute movement began in 1897 in Canada and afterwards spread to other countries. The first Scottish Women's Rural Institute was formed at Longniddry, East Lothian, in June 1917, and many others were subsequently formed throughout the country. The principal aims of the S.W.R.I. included these: 'To improve the conditions of Rural Life by providing centres for Social and Educational Intercourse. To study domestic science and economics, to lighten the labour of the home, and to beautify it. To consider child welfare and all the other questions of the day, which affect home and community life, with special reference to education, temperance and housing reform. To help in preserving the beauties of Rural Scotland and to work for Peace and Recovery.' Catherine Blair, *Rural Journey. A History of the Scottish Women's Rural Institute from Cradle to Majority* (Edinburgh, 1940), 11, 23, 35–6.
27. The *Weekly News*, published by D.C. Thomson, Dundee, since 1855; the *Southern Reporter*, published weekly at Selkirk since 1855.
28. See above, note 5.

29. Commander Neville A.J.W.E. Napier (1904–1970), Royal Navy, second son of the 12th Lord Napier of Merchiston; Flag Lieutenant to Commander-in-Chief East Indies and to Admiral Commanding Home Fleet destroyers in the 1939–45 War; uncle of the 14th Lord Napier of Merchiston (1930–). The Honourable Mrs Neville Napier was the commander's second wife, whom he married in 1967. *Burke's Peerage and Baronage* (London, 1999), 106th ed., 2,057.
30. Mrs Moffat's father in fact died in 1935, aged 70, and her mother in 1947, aged 79.
31. Yorkie the tramp, whose name was John Oliver and who was said to be the son of a clergyman, died at Fogo East End farm, Berwickshire, on 9 December 1933, and is buried in Fogo churchyard. The inscription on his gravestone describes him as 'A wanderer throughout the Borderland.'
32. Charles Lucius MacLaren (1867–1944), a son of the manse, graduate of Glasgow University, ordained in 1897, was minister of Eckford, 1897–1944. His widow Isabella Blyth Dall, whom he had married in 1897, was the daughter of a chartered accountant; she died in December 1945. *Fasti Ecclesiae Scoticanae* (Edinburgh, 1950), 137.
33. See above, note 19.
34. Mr Will Smith, who has lived at Cessford farm cottages since 1925 when he was a year old, and who worked all his life on that farm until his retirement, clearly recalls that in the 1920s and '30s there were ten bondagers, aged between 14 and 60, employed there as permanent full-time workers.
35. No. 15942 Private William Blackie, 7th Battalion, King's Own Scottish Borderers, died of wounds on the Western Front on 13 July 1915. K.O.S.B. Register, Scottish National War Memorial, Edinburgh Castle.
36. It seems more likely that Miss Blackie's wages as a bondager aged about 19 or 20 were 22s. or 23s. per week, rather than per month. See, e.g., above, pp. 47, 77, 78, where Mrs Paxton recalls her wages at age 14 in 1922 were 15s per week, and Mrs Guthrie recalls hers as 14s per week in 1925 at age 14, 16s. per week in 1926, and 22s. per week in 1927 when she was 16.
37. Conscription was not introduced in Britain until 1916. It may be that Mrs Hope's uncles were already in the Territorial Army at the outbreak of war; in that case, they would have been called up immediately.
38. No James Cairns, K.O.S.B., is included on the Hawick war memorial. The K.O.S.B. register in the Scottish National War Memorial at Edinburgh Castle records that No. 22861 Private James Cairns, born in Dumfries, was killed in action on the

Western Front on 13 August 1916 (at the time of his death he was in the 12th Battalion, Highland Light Infantry); and that No. 44050 Private James Cairns, born at Dysart, Fife, was killed in action on the Western Front on 3 September 1916 while serving in the 2nd Battalion, K.O.S.B.

39. Saracen is a fungicide. *Pesticides 1999* (H.M.S.O., London, 1999), 176.
40. The American Civil War, 1861–5, had ended long before Nellie Traill's grandfather met his death in Salt Lake City.
41. Though it had no pupils beyond the third year until about 1960 (and those seeking senior secondary education within the local authority system had normally to go, or go on, to Lasswade High School or, in a few cases, Dalkeith High School), Penicuik High School appears to have been so titled from about the middle of the 19th century until the Second World War. Information provided by Mr W.D. Young, President, Penicuik Historical Society, and Mr James Neil, Penicuik.
42. By 'grople' Nellie Traill means grope.
43. I.e., to the Pentland Hills.

INDEX

Index

Index

Index

Index

Index

Index